U0105387

王大智作品集

青演堂叢稿五輯　隨筆

演員的面具

王大智

萬卷樓

寫在《達爾文氏是吾師》之後

這是我發表的第二本隨筆文集，第一本是《達爾文氏是吾師》。這兩本書沒有什麼連貫地方，因為它們都屬於集結性質。不過，前者是綜論的文集，內容包括思想、歷史、宗教、藝術等等。這一本，就有所偏重；基本上，是藝術與文學論述。我在大學文學院與藝術學院教書，學校把我歸類為藝術專業。從兩本文集的比重上，可以看出我的核心研究；但是核心研究，並不代表我的興趣所在。說實在，我是個對所有事情都感興趣的人。

這本書，遵從《青演堂叢稿》體例，以一篇文字題目作為書名，取名為《演員的面具》。我雖然喜歡藝術，但是隔行如隔山，美術才是我的特長。關於戲劇文章寫的很少。〈演員的面具與其他〉一文，是我少數講戲劇的文章。用它作書名，有兩個原因：第一，戲劇是一種綜合的藝術，它以文學為腳本，而透過戲劇手法呈現之；其間，還夾雜音樂、舞蹈與美術。戲劇是最貼近人生的藝術，它是傳達思想的藝術；不像音樂、舞蹈、美術等，是偏重感官的藝術。既然與思想有關，便是我重視的了。何況，我寫一些文學。文學是戲劇的文本；似乎戲劇離開我，也不是那麼遙遠。

第二，戲劇傳達思想，與歷史有關。我對歷史的解釋，有自己的文質史觀。（Bio-psychological interpretation of history）我之於歷史，有一種從質疑到接受的漫長階段－歷史的紀錄，（文）並不能準確反映歷史事實。（質）我原先對這種情況，很不以為然，甚至有莫名的憤怒。後來，便漸漸接受這個現象；認為人類本來即有一種遮掩、隱藏的個性。這種個性，放諸生物界，也沒有什麼特別。生物為求生存，同樣也有各種虛偽詭詐的舉措。因此，人類歷史有兩本，一本是真實的歷史，（這本歷史，需要長時間發掘，而且，永遠不得完整）另一本是虛擬的歷史；就是我們知道（習以為常）的歷史。虛擬，就是戲劇。我有一篇文字〈我們的虛擬世界〉，專門講述人類的各種虛擬，各種戲劇化的現象。我對人類的虛擬（戲劇）行為，很有興趣。

我曾經說過「我的藝術，是學術的延伸」。這本主要講藝術文學的集子，是介於學術與藝術的中間部分。

王大智寫於 2019 大暑日

目次

戲說三國與水滸，笑看人間兩江湖

（完稿於 2012年1月16日）

楔子

前日跟朋友聊天，說到「江湖」；又說到某某人很「江湖」。結果，引發一場小小討論。一方認為，「江湖」人奸詐無品。另一方認為，「江湖」人豪爽俠義。（我是堅持後者的）說到最後，發現社會上對於「江湖」，的確有相反的兩種認知。我對於這樣兩極化的認知，感到十分吃驚。也覺得中國人所謂的「江湖」，有值得多想想的地方。

這篇文字，便是從「江湖到底何義」這個疑問開始的。不過，本文並沒有對「江湖」本身多加著墨，而只是談談兩本舊章回小說罷了。因為，中國人對「江湖」的不同定義，說不定就是從這兩本小說中得來的觀念。這兩本小說，就是《三國演義》與《水滸傳》。

《三國演義》與《水滸傳》，都是中國的重要小說。不少學者專家，以研究《三國》、《水滸》而著書立說，成了一家之言。我以「戲說」為標題，一則表示程度淺小，沒有就教方家的資格。二則表示小說乃話本延伸，雖然可以嚴肅以待，卻終究是遊戲文字；勾勒些人生的糊塗戲罷了。至於「笑看」麼。既然是糊塗戲，笑著看看也就是了。

小說在中國，雖然長時間難登大雅之堂。但是《三國》與《水滸》，對於中國人的影響，不可謂之不大。《三國》專講政府官員的行徑，《水滸》專講民間草莽的事跡。大家愛看《三國》《水滸》，因為讀此二書，可以明白中國在朝、在野思惟之不同；明白中國上層、下層作風之相異。其間描寫的深刻細膩，不是他書所能企及。讀《三國》和《水滸》，可以結構性地了解中國社會。如果用時下語言，說《三國》《水滸》是中國的白道聖經、黑道聖經，或者也能令識者一笑。也許經過這樣的玩笑式分類，兩個不同的「江湖」就浮現了；到底「江湖」人的特質是奸詐無品？還是豪爽俠義？也就請讀者依照自己的「江湖」之道，自己找歸宿罷。

先說辛左治

古人說「老不看《三國》」。意思是老者人生經驗豐富，常看《三國》，怕會更為奸詐可鄙。事實卻是如此。《三國》尚謀，整部書講的都是謀略，並且是官與官之間的各種謀略，各種機心，各種爾虞我詐。有趣的是，《三國》雖然是講官的書，我們看《三國》時，卻少將其中人物當成官看。似乎他們都在我們左近，與我們言語。而不覺那是遠在天邊的廟堂人物，廟堂事務。

比方說，大家多把諸葛亮看成文書生，把張飛看成粗魯漢。殊不知諸葛亮是個官，張飛也是個官。《三國》人物幾乎無人不是官－無論是文官還是武官。分開來，魏蜀吳在各自小朝廷中，相互內鬥。合起來，魏蜀吳在大漢疆域裡，相互內鬥。

這是《三國》的高明之處。該書完全講政府內部的官員鬥爭。雖然它以戰爭場面穿插起來－有靜有動，煞是好看。對於《三國》的強調謀略，我想過一些事情：謀略是不是那麼重要？

謀略是不是那麼重要？至少它不像《三國》作者形容的那樣重要。我甚至以為，謀略並非是強者之學，而是弱者之學。強者不會把心思放在謀略的設計上，而會把心思放在實力的充實上。只有以弱擊弱，以弱擊強；或者以強擊強，但是強弱難分軒輊的時候，才需要動之以謀略。換句話講，當實力懸殊地以強擊弱時候，衝突之結果，不是雙向的持續糾纏，而是單向的迅速毀滅。

從科學角度來講，萬事萬物都可以數字化，都可以用數字來表示。同樣的，鬥爭的成敗之間，也有一種大約的「數」，而很難以「術」來改變。實力就是「數」，而謀略只是「術」。

我的密西根大學老學長黃仁宇先生，重視歷史與數字的關係，對我很有影響。黃先生出版一系列重要著作前，以 62 歲年紀，被紐約州立大學解聘。對於學術與學院的關係，我在《藝術與反藝術》一書與〈形式主義與學術傲慢〉一文中，都有說法。黃先生是學術上的重要人物，也是學術與學院關係上的典型人物。

舉個例子來說。《三國》的「空城計」故事，大家耳熟能詳，津津樂道。它敘述司馬懿領軍十五萬，在西城被諸葛亮的二千五百人所蒙騙。「空城計」是《三國》中的典型謀略－不但機智，而且有文人的瀟灑氣味。然而，這個謀略也有客觀實力的問題可以討論。設想，如果司馬懿擁有五十萬大軍，掌握絕對優勢，「以碫投卵」地攻打西城。恐怕諸葛亮再如何彈琴、掃地，示之以「虛」，也不能動搖司馬懿的意志，也不能免於全軍覆沒的後果。古人說「形勢比人強」，俗話說「胳膊擰不過大腿」。客觀形勢有相當的決定性。只要主觀判斷不至於離譜，客觀實力才是鬥爭之根本。謀略是陰謀詭計，總是有投機性質。強者不需要投機。強者重實力，不重謀略。強者重「數」，不重「術」。

把「數」與「術」推演至人生經營上，或者也可有正面啟發。有人一生在其專業上兢兢努力，積少成多，終克有成，體會到公平二字的真正意義。有人一生在人際關係上琢磨打轉，最後兩手空空，大嘆人情冷暖。不是一樣的道理麼？

事實上，這個道理，連《三國》中以陰險著稱的曹操，也有忘卻的時候。（我不認為《三國》中曹操的陰險形象是歷史事實。關於這個問題，或可再撰一小文論之）話說建安八年，袁尚袁譚兄弟內鬨，袁譚向曹操投降，情商曹操出兵攻打其兄袁尚。袁譚派了平原令辛佐治前往曹營作說客。辛佐治到曹操處。曹操看罷袁譚請降書信，與辛佐治飲酒。曹操霸氣十足，當面問辛佐治「袁譚之降，真耶？詐耶？」辛佐治回答曹操一十四字。「明公勿問真與詐也，只論其勢可耳。」曹操猛然清醒覺悟，大喜曰「恨與辛佐治相見之晚也」。辛佐治的意思是：袁譚是否用謀略（術）根本不重要，重要的是袁譚、袁尚和曹操之間的勢（數）早已決定一切。他的這一十四字，道盡了謀略和實力的本質問題，也道盡了謀略和實力間的輕重關係。

我曾經試著精讀《三國》，但是苦其人多事煩，究竟不能終篇。有一日，隨意翻至辛氏一十四字，更是自此掩卷，不再復讀《三國》。古人不是說「善易者不卜」麼－明白道理，何須再問細節？細節不過是道理的反覆佐證罷了。這件事情，也讓我想到柳宗元的「讀書不求甚解」，讓我想到「微言大義」和「章句訓詁」。這些事情，也許不是那樣合轍的類似，卻有接近的地方。

辛佐治的話很重要、很有趣，特別標出它的出處－在《三國演義》第三十二〈奪冀州袁尚爭鋒／決漳河許攸獻計〉那一回裡面。說不定，辛佐治的話還是《三國》作者的寫作精義，甚至精彩伏筆呢。畢竟，無論《三國》如何把各種謀略說的舞雪飛花，巧妙動人；歷史的結局，還是由實力最強的一方一統天下，建立新王朝。在讀完《三國》，感性太息蜀漢不能得意之餘，或許也可以理性想一想，謀略與實力的問題，「術」與「數」的問題。

當然，我並不是把「術」與「數」簡單的一刀切開，把謀略與實力簡單的一刀切開。我只是認為實力比謀略更具有決定性。實力與謀略，在歷史事件發展上（人生態度取捨上）有一種明顯的輕重比例。而比例問題，又是一種「數」的問題，一個數字的問題。

《三國》的作者，到底要傳達什麼樣的思想呢？

再談呼保義

中國又有句老話，叫作「少不看《水滸》」。意思是《水滸傳》多講俠義故事，少年人血氣方剛，容易受其引導－或者誤導。

俠義這件事，是一種誤導麼？在東方和西方的世界中，觀念很不相同。西方重視英雄，東方重視聖賢。英雄的後盾是武力，聖賢的後盾是道德。講道德的民族，因為不尚武力，所以不願、不敢講俠義。因為俠義不是一般的義，和所謂「道義」「正義」甚至「民族大義」都有不同。俠義的俠字，道出其行義的武力本質。《韓非子》裡講得清楚「俠以武犯禁」，俠是不離開武的。不以武力解義、行義，也可以說是「義」－但是不是俠義。

> 西方自基督教興起，敢講武力的精神受到約制。不過《舊約》中上帝重報復的態度，還是給武力二字，找到了神聖的藉口。雖然西方在道德上不強調武力，但是，一旦以宗教為名，其暴力行為更是氾濫。

中國完全不講俠義麼？或者在哲學思想上完全沒有俠義的蹤影麼？答案又是否定的。中國敢以武力主持正義的思想家，首推春秋時代的墨子。然而以一個思想家而言，竟然擁有集團式的武力，可以用武力在國際間主持正義，古今中外也少見其例。《淮南子》裡說「墨子服役者百八十人，皆可使赴湯蹈火，死不還踵。」這和其他各家各派學者的文化形象，大大不同。因此，墨家雖然在先秦時代，和儒家並稱顯學，卻在中國有了皇帝之後，受到打壓。以至《墨子》一書竟然嚴重散失，要靠宋人集刻《道藏》，才能勉強窺其大概。其道理淺顯不過，蓋墨子擁有私人武力也。古人稱之為「私劍」。

除了私人武力外，行俠仗義者的行為也很難以控制。俠這個字，在文字學上多視為形聲字。不過，把它看成會意字也有趣味。俠者夾人也－遊走正邪黑白之間的人物，夾在中間的人物。俠的行事標準特殊，不講法，不講理，而單單講一個情字。（所謂情義）情字的基礎是同情或者友情，和義結合後，就是奮不顧身的激情。這種激情出現，法、理二字就可以放在一邊。不講法、理的後果，就可以放在一邊。所謂「兩肋插刀」的情況，就會出現。情字是俠的包袱，也是俠的行義動機。如果我們說，俠是為情所困（所夾）過不了情關的一種人，也不為過。當然，這種情不是男、女之間的情愛，而是人、人之間的關愛。（也就是孟子罵墨子「無父」、「禽獸」的兼愛；孫中山先生講的博愛）但是這種關愛一旦發動，如同男女之情愛一般，有成就萬物的力量，有毀滅萬物的力量。然而，我們如果說，這些行走社會邊緣的暴力份子，是真正敢愛又肯為愛犧牲的人，怕是在觀念上，多數人又不能同意、不能體會了。

是的。他們就是這種人：暴力份子、為情字所困的人、敢愛又肯為愛犧牲的人。墨家集團是這種人，太史公筆下的戰國公子、游俠、刺客是這種人，《水滸傳》裡面的一百單八將，也是這種人。

對於《水滸》，我也想過一些事：相對於《三國》重謀，《水滸》重情。重情當然比重謀好，但是重情又有什麼結果呢？這個問題很大，簡直牽涉到做人的基本問題。

很多人認為，行者武松是《水滸》第一好漢。武松因為潘金蓮對哥哥下毒，而把潘金蓮和她的姘頭西門慶殺死，並且把潘金蓮的心挖出來，祭奠哥哥武大。這個動作，當然是因為他對武大的感情。（說親情是友情的更進一層，應該也不為過。因為親、友間的感情，只是血緣上的差別。朋友做到極致了，不是要拜個把兄弟麼）殺嫂的行為，受到輿論同情；武松僅得了個「刺配孟州」的處罰而已。至於他在孟州打倒蔣門神，替施恩把「快活林」酒店奪回來，則是為了報答施恩對他的友情。但是蔣門神不簡單，勾結官府，設計陷害武松。弄到武松殺紅了眼，血濺鴛鴦樓。這一段的暴力，極為殘忍，顯示了武松的無情。武松的感情傾瀉，簡單的建立在「報」字上。哥哥對他好，所以殺潘金蓮以示其「報」。施恩對他好，所以打蔣門神以示其「報」。蔣門神對自己不好，必然遭「報」，殺他全家！

「報」是俠義人物的基本道德。也即是以己之情，還人之情。也即是《史記\刺客列傳》中，豫讓說的「士為知己者死，女為悅己者容」、「眾人遇我，我故眾人報之」、「國士遇我，我故國士報之」。儒家對「報」字，有奇怪的解釋和衍義，社會上常常聽到「以德報怨」。其實「以德報怨」完全不合儒家領袖孔子想法。孔子在《論語\憲問》中講得清清楚楚、明明白白。「或曰：以德報怨，何如？子曰：何以報德？以直報怨，以德報德。」這樣實在的道理，儒家都不願、不敢遵守。我總是說，儒家和孔子不是一回事。孔子經過漢、宋兩代闡述，變形的厲害。

武松「直人」也。他的感情強烈無比；在情字上，直來直往。武松是俠義的極端，但是，不是俠義的極致。他有很重的「自己人」觀念，(武大、施恩都是自己人）那種觀念推而廣之，就會出現偏狹的「非我族類」心理。那種心理並不好。所以，說武松是《水滸》第一好漢，值得商榷。他只是一個痛快淋漓，讓人大呼過癮的好漢。我以為，第一好漢是花和尚魯智深。

魯智深原來在渭州當差。一日酒館飲酒，隔壁有人啼哭，搞得他心情不悅。在知道鄭屠欺負金老漢父女後，便和九紋龍史進湊了十五兩紋銀，送給賣唱父女。第二天，他去找鄭屠理論，三拳打死個鄭大官人！落得自己丟差，成了和尚。魯智深的情，有兼愛和博愛的成份，超過武松甚多。金老漢父女和魯智深非親非故，魯智深仗義相助，是因為同情而不是因為友情。這種同情沒有「自己人」觀念，因此也更為高貴、可貴。當然，《水滸》作者深知其高貴、可貴，在打死鄭關西這一段，把魯智深塑造的十分搞笑－要鄭屠細切精肉十斤、肥肉十斤、軟骨十斤。甚至把鎮關西打的血肉糢糊，也被描寫成在鄭屠臉上「開了個油醬鋪」、「開了個彩帛鋪」、「做了一個全堂水路的道場」。這種寫法，當然是替魯智深的暴力緩頰，替魯智深的暴力做一些喜感的包裝。

武松和魯智深，是《水滸》談俠義的兩段精彩戲，然而，卻不是《水滸》講人性的深刻處。《水滸》講人性的深刻處，全在呼保義宋公明一個人身上。全在《水滸》的後四十九回裡面。

宋江原是文人出身，鄆城縣的一個刀筆小吏。只是好結交江湖好漢。因為和梁山晁蓋等人來往，遭姘頭閻婆惜敲詐，為了五十兩黃金殺了本來心愛的女人。他的出場，和其他兄弟況味不同－他的鋌而走險，也和其他兄弟動機不同。（武松殺女人和宋江殺女人，實可兩相對照著看）後來在九江潯陽樓，宋江酒後寫了反詩，判了個死罪。梁山兄弟劫法場，把他弄上梁山入夥。

宋江在很多章節裡出現，反反覆覆，好像個性很複雜。實際上，宋江並不複雜。他滿口仁義道德，但是其仁義道德有目的性。宋江的仁義道德是一種世間法，是一種周旋於世間的手段－真是一個「假」字了得。不過宋江「假」的很「真」。雖然經過《水滸》作者苦心經謍，一開始就說他「面目黲黑，身材矮小」諢號叫「呼保義」。和梁山好漢的威風諢號大不相同。

這個渾號很怪，很土。翻成現代話就是「叫我小廝吧」。我以前跟人開玩笑，說「保義」翻成英文 boy 最好。「呼保義」翻成英文應該是「call me boy」！

又說宋江寫反詩要被捉拿時，他如何「披散頭髮，倒在尿屎坑裡滾」。但是，多少善心讀者，仍然覷他不破，認為他是個知謙遜、有苦衷的漢子。

最後，宋江成了梁山頭領。在「染黑」之後，又一心一意要「漂白」。不惜犧牲整個梁山，用梁山兄弟作為和朝廷談判的「價碼」。其居心，不過是以梁山換取他想要的利益－「封妻蔭子」罷了。這種難改的小吏心態，讓梁山為政府收編，受命征討「諸賊」，中了政府「以賊殺賊」的借刀之計。結果，梁山好漢死傷殆盡，下場悲慘。

宋江是《水滸》寫的最成功的人物。雖然他極難看、極不堪、極討厭、極噁心。但是，把一個文人小吏的心理、嘴臉，寫的入木三分－滿口仁義，志大才疏；一旦當權，又畏首畏尾。既不敢進（攻城略地，建立新王朝）又不敢退（佔山為王，逍遙過日子）。大好一個梁山，只是他升官發財的踏腳石。宋江辜負了梁山兄弟，既無情也無義－可是廢話理由一大堆。他是小人得志的一個文學典型，真真是應了古人的對子：「仗義半從屠狗輩，負心多是讀書人」。宋江是政治人物，不是草莽人物。換句話說，他根本不該出現在《水滸》裡面。把他放在《三國》中，倒是順眼的多。尤其讓人想起好哭的劉備。

宋江的諢號「呼保義」很猥瑣，所以後來改了個諢號，叫做「及時雨」。但是「及時雨」又流到了江裡－「送江」，沒有普降甘霖讓人受惠。我想替宋江再取個諢號；雖然不雅，也沒有什麼文學上的暗示性。但是可以替善心讀者解解惑－解解我們古老儒教文化的一個大惑。宋江這個滿口仁義道德的小人，他在梁山的諢號，應該叫做…「老鼠屎」。

《水滸》講人性的深刻處，全在呼保義宋公明一個人身上。全在被金聖嘆腰斬的後四十九回裡。大才子金聖嘆，為什麼把一百二十回的《水滸》，斬為七十一回呢？（第一回作了楔子）當然，可以有各種文學上的理由解釋。不過，我看這個喜歡《莊》、《騷》、《史記》的金聖嘆，只是「不忍」而已。不忍看宋江的嘴臉，不忍看梁山好漢的下場；不忍看人性的醜陋面；不忍讓自己因為讀了前七十一回，而緩緩升起的真情至性，遭受殘酷打擊。這些讓人「不忍」、「不能忍」的部分，就是金聖嘆刪掉的後四十九回；宋江露出本性，醜態百出。我認為，這四十九回的醜惡，是《水滸》極深刻部分，是東方《水滸》超過西方《羅賓漢》的文學價值所在。

其實，這後四十九回我也不愛看；可以說看了一次後，便絕不再看。這種知其價值，而「不忍」卒睹的情況，很像我看勃朗特《咆哮山莊》*Wuthering Heights* 的感覺。真是一個「慘」字了得。

看《三國》，或者有人覺得遺憾，但是《三國》不是悲劇。看《水滸》，不覺的遺憾，（草莽人物本來就不會有好下場）但是，《水滸》是悲劇。其悲劇處，不在梁山的不成氣候、不得善了。而在於「俠義」的被浪費、被糟蹋。在於眾好漢「士為知己者死」，死錯了對象；「國士報之」，報錯了頭家。在於有情有義的人，遇上了無情無義的人；而這個無情無義的人，是大家的領袖，是出賣大家的人。換個角度講，《水滸》之悲劇，在於《水滸》遇上了《三國》！用情之人，遇上了用謀之人。老百姓遇見了官－那個官沒有和老百姓對幹，而是混跡在老百姓中，成了老百姓的領袖。沒有想到，他始終不是個老百姓。他始終是個官。

《水滸》的悲劇，在於「自古多情空餘恨」。在於高貴高尚的情義，被小人利用。我年輕時有一個老師說過「感情很珍貴，所以別浪費」。我的老師，也是個有情人乎？《水滸》的作者，也是個有情人乎？《水滸》的作者，要告訴我們什麼？

後記

原想寫完《三國》便寫《水滸》，一氣呵成。動筆之後，諸般想法湧上心頭，發現寫《水滸》比寫《三國》要困難的多。因為，《水滸》很深刻，有太多想講的話。《水滸》的深刻處，除了人性描寫外，還有對社會結構的批判。這一部分，因為文氣的關係，正文中沒有談到。

表面上看，《水滸》比《三國》簡單。《水滸》說草莽的快意恩仇，《三國》講廟堂的鉤心鬥角。實際上，《三國》在複雜的情節背後，講的是一個階級（官員）的一種活動（鬥爭）。各路人馬一旦進入場景，便沒選擇地，不是成王就是成寇；角色都奔著一個目標前去。換句話講，雖然大家立場不同，卻都意志堅定的耍陰謀、搞鬥爭；逐鹿中原圖成帝業。相同的目標與意志，讓《三國》人物有了統一的共相。（或者說嘴臉）該共相，讓《三國》在故事鋪陳上複雜，在人性描寫上，簡單。《水滸》則不然。

《水滸》是看似簡單的一本書。大家都「咔嚓」一聲，解決問題，怎麼不簡單？大家都「咔嚓」一聲，然後上梁山，怎麼不簡單？可是大家上梁山的動機可不一樣。這裡面有主動者，認為獨行不如聚眾，急著加入的。有被動者，所謂「逼上梁山」的。而被動者，又可分為政府所逼、社會所逼、情勢所逼、梁山所逼（如玉麒麟盧俊義）等等諸般不同。還有一些，也不主動也不被動，因緣際會跟著大家上了梁山。等到大家梁山聚義，梁山應該何去何從？應該如何發展？大家的意見又不一樣。這種種不一樣，讓《水滸》人物活靈活現，讓《水滸》人物更接近現實人生。讓讀者在文學與人生之間，做更多的相互聯想。

> 我年輕時讀《水滸》，總是讀著讀著，便要弄一些花生，搞一杯高粱。以平復心中之鬱悶，以平復心中之快意；甚至，以平復心中之沖天怒氣。《水滸》比《三國》令人盪氣迴腸的多，《水滸》比《三國》的藝術價值，要高的多。

《水滸》除了人物的個性複雜，它的基本結構也複雜。那一群看似簡單的「咔嚓」型人物，多半原先並非草莽，原先並非專尚「咔嚓」；他們多是與草莽和「咔嚓」南轅北轍的政府官員。（地位最高的是小旋風柴進）這種由官員而草莽的行徑和觀念，在古今中外社會中，都不能見容於主流思想。我們不是說「知法犯法」麼？《水滸》就是講「知法犯法」的人物；就是講韓非子所討厭的「亂法」「犯禁」人物大集合。至於《水滸》為什麼要談這個問題？為什麼這些人由白轉黑，做這種選擇？是當時政府的黑暗？（我以為《水滸》是刺時諷世小說。因為《水滸》成書的明代，遠較其所描寫的宋代為黑暗）是儒教政府的黑暗？（梁山的出現，是因為對抗個儒教政府。梁山的毀滅，是因為有個儒教份子－宋江混入梁山）還是人類文化文明中，政府這個制度的必然黑暗？（英國史學家艾克頓勛爵 Lord Acton 說過：權力導致腐化，絕對權力絕對腐化）

如果是前者，《水滸》可以當歷史看。如果是中者，《水滸》可以當哲學史看。如果是後者，《水滸》可以當文化文明史看。《水滸》之複雜深刻《三國》何能望其項背？大哉《水滸》矣。

前面說過，《三國》是白道聖經，《水滸》是黑道聖經。這句話，還不能道盡《水滸》之奇。《水滸》之奇，在於它並不是單講黑道故事，而是講白道變成黑道－「棄明投暗」的選擇。這個「棄明投暗」的選擇值得思考，值得用力思考。然而這種思考嚴肅的很，既不能「戲說」，也不能「笑看」。姑且放在這裡，作為一個「後記」罷。

別號與心境—從涉齋到小退米

（完稿於 2013年12月18日）

中國人有起別號的習慣，別號和名、字都不相同。名是父母給予，字應該和名有關連；都不能由自己完全掌握。（例如，我的小名喚做大牛；因此，字伯騂。我被稱為大智、大牛、伯騂時，尚在茫然的襁褓狀態）但是，當一個人長大了，卻對於自己的稱呼有自主權，可以開始給自己取別號。這一點，顯然是中國較外國更為自由的地方。

別號，有人把它翻譯成 nick name，並不準確。（nick name 應該與暱稱相當，則音、義都更合轍）也有人把別號翻成 pen name，也不妥當。pen name 是筆名，而筆名也不同於別號。因為，筆名有遮掩本名的意味；而別號與之相反－非但不遮掩，還把自我的內在心境，示之於人。這一點，顯然是中國較外國更見性情的地方。

我在一些小文中，談過長輩的別號。（王壯為、周棄子、傅狷夫等等）現在，我也年近六十，可以說說自己的別號了。四十年來，我給自己取過四個別號；話說從頭，或者也有趣味之處。

涉齋

我年輕時，堪稱積極有為之人。最早別號，單單一個「涉」字。當年二十多歲，對於「涉」的多種意義，甚為著迷。首先，「涉」有涉獵的意思：我對於各種知識，確實涉獵的很廣泛。凡舉人文、社會甚至自然科學，都有極大興趣。（記得，多次與人辯論知識份子和專業人士不同）以為廣泛涉獵，多角觀察，是增長見識唯一法門；以為胡適說的「為學要如金字塔，要能博大要能高」當被學人視為圭臬；以為孔子教授「禮樂射御書數」，必然自身精通六藝－博學多才，類似蔡邕與達文西。這是以「涉」自勉的部分。

其次，「涉」有涉險的意思。涉險，即是冒險；中國人最缺乏冒險精神。我以為冒險精神和地理有關，和海洋有關。古人能夠見到最險惡的環境，即是海洋。海洋的險惡，遠遠超過高山和沙漠。因此，凡是海洋包圍著的國家，皆具冒險精神。中國的海岸線並不短，但是，不是海洋國家－三面陸地一方臨海。加上，兩千年來有北方長城保護，所以，總是以天朝自居，不動如山。這種性格的產生，受地理環境左右，而與血統、基因沒有關係。我對這種民族個性，不大滿意，因此強調冒險。也因此，我一段時間總穿粗布衣服和大皮鞋；自外而內地，讓自己強悍起來。（後來，聽見鄧小平說「摸著石頭過河」，感覺很受用。感覺那是「涉」的具體表現－我說涉險，他說涉水；比我說的寫實）再其次，涉有相互涉及的意思。相互涉及，就是跨入其他領域，就是衝突；無論人與社會，人與文化，還是人與大自然，皆是如此。（其反面，即是獨善其身，「互不相涉」）我以為這是

「涉」的精義，是中國人最欠缺、最不敢談論的部分。詳述於下：

冒險、涉險，與衝突是一體兩面的事情。一個人對自然涉險，就要擔當自然的險惡與反撲。一個人對社會、文化涉險，就要面對人心的險惡與反撲。（為人父母者，既教訓孩子要有冒險精神，又教訓孩子莫與人發生衝突，只是把自己的矛盾延續為孩子的矛盾；甚至，造成下一代的，精神錯亂）小時候，看過一本「西部小說」－現在回想，很可能是哪部電影的腳本。其中，父親對孩子說「我沒有什麼財產可以給你，只能給你一句話；永遠不要怕跟別人衝突。」這是冒險精神，西部精神；也是美國精神，西方精神。這是中國最欠缺的東西，是中國不能再關起門來以天朝自居後，最需要快速獲得的東西。

所以，冒險和涉險，必然導致衝突。不敢面對衝突，就是不敢面對人生。對於這種想法，我還寫過幾篇短文論述呢。雖然年輕氣盛，卻絕對有年輕氣盛的可貴、可愛之處。「涉」一個字不好應用，我便隨俗的加上齋字，以為齋名。父親七十歲以後號「漸齋」，我號「涉齋」。漸與涉，同為三點水旁；他覺得有趣，在給我寫的對聯上，特別用「書付涉兒」幾個字，表示贊同的意思。（圖一）

青演

三十五、六歲時候，開始用另一個別號「青演」。我用它做別號、堂號，（青演堂）還用它做一個學會的名稱；「青演禪學會」。當時，我已皈依禪宗大德悟明長老。「青演」這個別號，繼續了前面

（圖一）王壯為　高馳聯　　（圖二）江兆申　青眼聯　　（圖三）李嗣璁　行義聯

「涉齋」的意義，同時，開始有些宗教情懷；開始有些冷眼旁觀的味道。

關於「青演」這個別號，我在〈索訶江湖〉一文中，有過說法。抄錄於下：記得六朝阮籍，總以青白眼示人。其實，青就是黑，而所謂青白眼是特指白眼而言。《晉書／阮籍傳》中說得很明白「（阮籍）能為青白眼，見禮俗之士，以白眼對之。」為什麼示以白眼呢，理由可以很多。大概基本上是瞧不起人，或者是瞧不起人背後的種種自卑心理。而我以為一個人瞧不起人固然不對，更不對的，是六朝人的逃避與不敢面對現世。所以，我極不喜歡「白眼精神」而強調應無所畏懼的，以黑眼正視紅塵、正視自己。這種想法可能與我皈依禪宗臨濟門下有關罷。無論如何，後來我甚至以青眼作為我的別號。只是青眼的典故明顯，便改作青演了。…

這便是「青演」的由來。我長時間很喜歡「青演」兩個字，甚至喜歡用「青演先生」；自認頗有出世氣味。不過，時代不同了。先生早已沒有百年前的意義了。今天，張先生，李先生，滿街的先生。不是這樣麼。不過，我倒是做了對子，把青眼（演）和紅塵關係嵌在裡面；請故宮博物院副院長，江兆申寫了幅字。（圖二）這個對子，我很得意。雖然簡單，但是把想說的話說完了。我拿給以「嵌聯」出名的張伯伯（張佛千）看，他說「很好很好」，還問「要不要跟我多談談啊」。我知道他的意思，可是對詩文沒有根底，也就作罷。大律師李復甸（現已貴為監察委員）曾約我跟熊養和（熊氏太極創造者）的大徒弟裘曙舟練拳。當時，李對於舊文化的癮頭很大。同學期間，又約我和張伯伯去學舊詩。我還是沒有興趣；可見以前我對於文武二道的偏愛情況。（記得，除了張佛千以外，還有李嘉有伯伯也在家中教人做舊詩。幾十年前，風氣全然不同）

天保

孔子說「加我數年，五十以學《易》，可以無大過矣」，《史記》也說「孔子晚而喜《易》」。可見，他到了五十多歲，不再做「知其不可為而為之者」了。所謂「五十而知天命」，開始重視大環境和命運的關係，是孔子的一句真心話。

經過了二十多年的「涉」與「青演」，到了五十左右，很有點意興闌珊。自己的堅持，沒有相對回報。別人的眼光，看不出多少認同。「人到中年兩頭難」應該就是如此感覺。同時，我的人生思想強烈；在台灣這個儒家社會中，真的不是處處「風雨」，而是處處「風浪」。那時候，常常念起多年前看的電影《猛龍過江》。（Way of The Dragon）電影最後，李走向遠處；背景音樂響起，配以一段旁白：「在這個世界上…走到哪裡，都需要福星高照。」一個人如果希望福星高照，大概是累了，大概是需要一些外力支援了。福星高照麼，就是老天保佑麼；福星太普通，因此我就起了「天保」這個別號。

「天保」這個別號，有很多的不可思議。其一，我發現它可做號，也可做字。因為「天」字上下拆開，為一與大，「保」字左右拆開，為呆與人。這個「一大呆人」和「大智若愚」很有點關聯。其二，「天保」對我而言，純粹是從老天保佑四字而來。本來，我還認為它有點俗氣，用不用，很猶疑。結果呢，我偶然發現，《詩經\小雅》還真的有一篇〈天保〉。這一下，它又文雅起來了。其三，發現「天保」很文雅後；某日，閒步台北行天宮（關公廟）玩耍。走到大門口，抬頭，猛然見到「天保」二字，高懸於右山門之前檐柱上！那是許久以前，做監察院長的李嗣璁先生寫的。上下聯為「行義當然，則雲停風舉。天保定爾，如日升月恆」（李先生與我們同是河北人。小時候，我總是分不清他和李石曾－李石曾也是河北人。我分不清他們，是因為父親對他們的稱呼不分別，一律呼之為「老鄉長」）這個事情，真的頗有蹊蹺。「天保」不但文雅了，還神聖了；還和「行義」與關二爺發生關係了。（圖三）這種種的巧合，真是值得「迷信」一番。一段時間，我還嚴肅考慮，要不要去戶政機關，把「天保」改成本名呢。

自從用了「天保」後，我發現，我有點從入世而出世；很多世俗上的活動，也都開始漸漸結束。在〈鬼月談玄－幾種迷信的科學說法〉中，我說：旁人對我們的「每一次呼喚，都把「自我的意義」（ego）和「名字的意義」，做一次連結和強化。這種一生中不停「聲聲呼喚」所形成的「自我認定」（self identification），最後融入我們的記憶之中－我們的人格和名字的意義，漸漸混為一體。」那樣說，是我自己的深深體會。

小退米

今年，進入五十八了。前幾天，和朋友在「帕米爾」小聚；主要吃新疆燒烤。席間，告知大家我有新別號，叫做「退米」或者「退米齋」。有學問的立馬詢問，是不是不吃飯啊？是不是「辟穀」啊？我說：說不上不吃飯，只是不吃米；麵食還是吃的。因此，不能算是「辟穀」。不過，退米有些道家意味；與我近年心境相關。至於說，何以獨拈退米呢？則純然是體質問題－我吃麵不吃米，覺得舒服一些，清爽一些。也有人提議：乾脆叫「退齋」罷，全都退了罷；韓愈不是叫退之嘛。這個我就不置可否了。一來，我只是不吃米，絕對敢於面對人生。二來，我也不喜歡韓愈。四十年前，我的國文老師（少之又少的，教高中的北大女碩士）王亞春一再說，韓愈是古文八大家，但是文章「詰屈聱牙」不順暢。（幾十年來，我也這樣說。然而，畢竟不是北大出身，說不得這樣的話－屢遭衛道者苛責）除此以外，還有人問到：既然「退米」，還要「退肉」否？語焉雖然不詳，倒也切合酩境。眾人聽見肉字，眼睛放光，都把說話主題，轉到桌上的「烤羊排」和「大盤雞」那裡去了。

回家之後，對於「退米」二字思索再三；覺得不如加一「小」字為妙。（雖然「退米先生」也有趣味）道家尚柔和，不尚剛強。退字雖然保守，但是仍屬剛強；蓋退與進互為極端－就像守與攻互為極端一樣。墨子最善於守，但是，他也是諸子中的極端者流。所以，「退」不如「小退」；小小一退，更見迴旋。以免言退言守，一旦機勢有變，又不好說話了。吃東西亦復如是，今天不愛吃米，誰又知道明天如何呢？「小退米齋」於是焉定案。至於「退米」呢，等到再老一些再說罷。

後語

這篇小文章，就算是寫完了。回頭細觀，不禁有莞爾的感覺。四十年前的「涉齋」，怎麼會想到有自稱「小退米」的一天呢？以前，常常想到一些世界名人，例如耶穌、莫扎特、舒伯特、愛倫坡、梵谷、傑克倫敦；甚至瑪麗蓮夢露、李小龍，他們都在三十、四十之間，英年早世。（愛倫坡和傑克倫敦活到四十）他們如果活到七、八十，人們對他們的印象，還是一樣嗎？他們對於自己的堅持，還是一樣嗎？他們對於文化的影響，還是一樣嗎？

看看他們短暫而不能夠再變化的人生，看看自己行將六十而繼續變化的人生；心裡面，有一種複雜的情緒升起來。

我怎麼寫小說－兩個側面舉例

（完稿於 2015年2月15日）

前言

幾年以前，有一中篇小說，發表在《長江文藝》上。後來這篇小說被《北京文學選刊》選入，又發表一次。後者要我寫一個簡短的「創作談」；在「創作談」裡，我講了兩句話。其一：「我的藝術，是學術的延伸」。原文引錄於下…

> 「我不是學文學的，是學歷史和藝術的－現在的專業，是藝術史和文明史。學術研究在前，寫小說在後。所以，我常常說：我的藝術（小說），是學術的延伸。這一點，也許和其他小說家不大一樣。因為長期的學術訓練，我沒有寫過純然抒發感情的小說；我的小說背後，都有一種道理。小說在我而言，動之以情是形式，目的是要說之以理。」

其二：「我寫小說，像是畫一幅畫－特別是畫一幅抽象畫」。原文引錄於下…

> 「至於說到寫作的手法麼，真是很難說。在各種理論上，我對藝術較之文學了解的多些。我如果說，我寫小說不像是寫小說，像是畫

一幅畫－特別是畫一幅抽象畫；不知道這樣說，大家能不能體會？

這個奇怪的情境，也許有機會，我想辦法再細細說明。」

那兩句話要細細講清楚，真是有困難。最近整理舊文，發現小品兩篇，與上述的體會很有相關。現在把它們集在一起，作為那兩句話的側面說明。這兩篇小品，一談抽象（藝術）是怎麼回事，一談如何思索學術問題。兩篇文字看來風馬牛不相及，實則和我論學、寫字、寫小說關係都密切－也就是講講我如何想事情。（無論學術、藝術還是小說，在化為作品之先，不過就是腦子裡想事情罷了）這種文字，對於愛想事情的人來說，或有一讀的趣味。也算是續了那一段「創作談」。

抽象的能力（2006）

抽象是什麼？這個問題是談抽象藝術的前提。如果不明白抽象的定義，當然不能了解由其定義衍伸出的諸種表現。（包括繪畫、音樂、戲劇、舞蹈以至文學）

抽象的英文是 abstract，抽象二字是由日文翻譯來的；在古代的中文裏，不稱抽象而稱「約象」。（唐代張懷瓘《玉堂經禁》有「約象立名，究之可悟」語）其實抽象就是約象，不過兩個名詞各有重點－抽象是抽取其象，有分析的意味；約象是約略其象，有整合的意味。（這種整合與分析之不同，或竟是中、日民族文化不同之縮影）

抽象或者約象，在字面上，就已經表達了抽象觀念的大概。那就是從具體的對象 A 中，抽離（約略）出足以代表 A 的成分 B 出來。

事實上 B 就是 A，或者說 B 足以代表 A；但是，B 看起來不像是 A，因為 B 是抽象化了的 A。這就是抽象的意思。

舉例說明。一個設計師列出一份電腦程式，程式中只有數字與符號－B。數字與符號組合起來，螢幕上出現一隻米老鼠－A。對某些專業的人士來說，這些數目字與符號，就是那隻米老鼠。B 等於 A。但是，B 雖然等於 A，看起來卻不像 A。（一堆數字與符號，怎麼會和米老鼠相像呢）因為 B 是抽象化了的 A。

事實上，抽象的觀念比較不容易從藝術上了解，而容易從科學上了解。因為科學的核心－數學，就是人類發明的最抽象形式。數學從可認知的世界中，抽離出 0－9 十個數目字，作為抽象元素。這十個數目字的千變萬化，足以顯示宇宙所有現象。0－9 是科學家掌握的抽象元素，透過這些基本元素，科學家以方程式的形式，展演宇宙萬象給我們看。

同樣的，抽象藝術家也有這種抽離、組合的觀念和手段。然而，對於宇宙萬象，抽象藝術家不抽離出數字，而抽離出點、線、面和顏色。因為我們可以認知的世界，在視覺上，是由點、線、面和顏色所構成。透過點、線、面和顏色這些抽象的基本元素，抽象藝術家，以視覺的方式展演宇宙萬象給我們看。

當然，點、線、面和顏色，仍然可以更予以抽象化的還原為數目字。這是蒙特里安（Mondrian）等藝術家將其藝術極力幾何化與數字化的原因。不過在視覺藝術上，他們的努力也僅止是一種嘗試而已。因為就人類思維能力及文明價值的層面而言，藝術家不能與科學家爭鋒，這個事實是明顯的。

抽象是人類能夠運用的高級思維方式－以簡單的形式表達複雜的內容。科學家如此運用抽象觀念，藝術家也如此運用抽象觀念。基本上，科學家以抽象元素（數字）來顯示客觀世界，抽象藝術家利用抽象元素（點、線、面和顏色）來顯示主觀世界。這是藝術與科學共享的一個交集面，也是科學與藝術成為人類文明基本支撐的重要原因。

人類抽象的行為，就是一種符號化（symbolize）的行為。然而科學和藝術畢竟不同。本文極力避免符號兩個字，因為符號在藝術上，常有流於形式（主義）的問題；如果抽象和形式（主義）成了同義字，抽象藝術的本質則要失去。因為科學家的符號是普遍性符號，藝術家的符號是個人性符號。科學家必須使用普遍符號以為溝通，藝術家則必須迴避普遍的符號，以建立個人風格。抽象藝術，如果輕易解讀為符號學（semiotics）之一種，抽象藝術便沒有了創造性（creativity）。

最近注意 IQ 和智力測驗問題。發現測量智商的問卷中，聯想問題比例很高；演算問題的比例，竟然沒有想像中高。智商都認為和數理能力有關，但是為什麼在智力測驗中，聯想力受重視呢？聯想力不是和想像力一樣，都看作是藝術方面的事情麼？我想本文解釋了部分原因。抽象是一種思考的方式，並不分科學與藝術。但是，解讀抽象（接受抽象訊息）和表達抽象（給予抽象訊息）都需要以聯想力作基礎。如果一個人，怎麼樣也不了解 A 為什麼等於 B；那一堆數字和符號，為什麼等於米老鼠？恐怕從事任何思考性的工作，都會感到困難。

抽象是一種高級的思惟方式，聯想是可以運用這種方式的能力。

孔子的「桌子理論」（2007）

很多人談治學方法。我總覺得「治」字很嚴肅，至有狂妄的意思；好像學問這件事情，可以被控制住－好像做學問和作官一樣。（以配合其學官身份乎）因此，我認為還是講「求學」「求知」好。我們應該對知識有尊敬的態度；求學求知，並不丟人。一輩子求學求知，也並不丟人。

《論語》裡子禽問子貢，孔子的學問如何而來「求之與抑與之與」？（求來的還是別人給的）子貢回答「夫子溫、良、恭、儉、讓以得之。夫子之求之也，其諸異乎人之求之與」。（是求來的，但是他的求和一般人的求，不一樣）子貢的回答，有點彆扭，因為說的遮遮掩掩－好像不說孔子與人不同的話，就貶低了孔子的身分。這段話要是被孔子聽見，恐怕子貢又要挨罵。

> 敢反問：一般人的求學，又是如何求得？又是如何與孔子不同？難道是不溫、不良、不恭地，從老師那裡搶來的麼？至於說儉、讓和求學有何關係，真是有些「丈二」。

所謂又要挨罵，是指孔子已經罵過他了。在《論語\子罕》中，大宰問子貢「夫子聖者與？何其多能也」。（他是聖人麼，本領何其多）子貢回答「固天縱之將聖，又多能也」。（上天要他作聖人，又要他多本領）孔子聽到了，以一句「吾少也賤，故多能鄙事」（我幼時身份低賤，所以，學會不少粗活小事）給了子貢的「天縱說」一個大嘴巴。

事實上，孔子的特點就是好學。一個「少也賤，故多能鄙事」的人，怎麼會對求知這件事情，羞於啟齒呢？孔子很平實，但是從他的學生開始，儒家對這個老師的身份和言行，總是刻意曲解，以求符合「想像」中的聖人的標準。（超過「理想」則謂之「想像」）

孔子愛求知。然而，知識是求不完的；知識也是求得完的。求不完的，是知識的「知識部分」，也即是古人說的「記問部分」。（《禮記/學記》不是說「記問之學，不足以為人師」麼）求得完的，是知識的「道理部分」。這種分別，有點類似所謂「章句訓詁」「微言大義」的分別。而這種分別，又和求知者的目的有關係；它也和「經師」「人師」的觀念有關係。（經師即是對於知識的「知識部分」精熟的老師，人師即是對於知識的「道理部分」有心得的老師）

我喜歡歷史上的真孔子。我的求知辦法，很受孔子《論語》中一句話啟發。孔子說「舉一隅不以三隅反，則不復也」。他的意思是，桌子的一個角是九十度，就該想到其他三個角也是九十度。如果不能想到，他就不願意再教了－不值得再教了。（有智商上的問題了）孔子為什麼可以「舉一反三」呢？因為他有一種「吾道一以貫之」的「貫穿力」。這種力，可以貫穿事物，可以看見不同中的相同。這種力，就是聯想力。（association）聯想，是孔子「桌子理論」的思考方式；也是世界上所有思考者（thinkers）的思考方式。

一般人有效果的想事，（非胡思亂想）多半以是否合於邏輯為原則。將不同而雜亂的事物，作出因果關係（cause and effect）上的聯繫；通過這種聯繫，由 A 而 B，由 B 而 C 地思考問題。這種思考方式，接近算數中的四則觀念。但是聯想不是如此。聯想是高級的思考方式，它雖然合於邏輯，卻不是由 A 而 B，由 B 而 C 地思考問題。聯想是經由分類，進而歸納特徵與屬性的思考方式；它接近數學中的集合觀念 － assemblage。（我稱之為「對諸集合的觀照式思考」－也就是檢驗好幾組集合，看出它們的共通性）它需要一點靈光乍現，讓看似不相關的事物，產生相關性。（這種靈光乍現，佛家稱為悟）

這種奇特的思考方式，除了孔子的「桌子理論」之外，中國書法家在藝術的突破上，也頗有一些著名例子。（了解這些例子，需要些書法史的背景知識。在此不另敘那些知識了）

例如：動物是一種分類（集合 A），書法是一種分類（集合 B）；但是晉代王羲之可以看見動物（鵝）和書法（集合 AB）間的共同性。

例如：軍事是一種分類（集合 A），書法是一種分類（集合 B），但是唐代太宗可以看見軍事和書法（集合 AB）間的共同性。

例如：舞蹈是一種分類（集合 A），書法是一種分類（集合 B）；但是唐代張旭可以看見舞蹈和書法（集合 AB）間的共同性。

例如：划船是一種分類（集合 A），書法是一種分類（集合 B），但是宋代黃庭堅可以看見划船（盪槳）和書法（集合 AB）間的共同性。

例如：拉車是一種分類（集合 A），書法是一種分類（集合 B），但是元代鮮于樞可以看見拉車（挽車）和書法（集合AB）間的共同性。

人類的智能，不因種族而有差別。我從西方藝術理論中，得知了聯想，從印度佛教理論中，體會了悟；從孔子「桌子理論」中，明白它們原來都是一回事。

尾語

為了續那個「創作談」，拉拉雜雜說些不相關的事情。請讀者自行抽象地聯想罷－想想這些事情，為什麼放在「我怎麼寫小說」這個題目下面。

從「短書」到巨構
—寫在艾莉絲・門羅得獎後

（完稿於 2013年10月20日）

加拿大籍的艾莉絲・門羅（Alice Munro）得到了 2013 年諾貝爾文學獎。她因為身體不好，可能不出席頒獎典禮。她接受訪問時候，簡單的說「希望人們能意識到，短篇小說是重要的藝術形式」。

門羅說的話，也許引起反響，也許不引起反響。因為很長時間以來，小說寫作都以長篇為主。以專門寫短篇而受到肯定，不大容易。似乎寫小說，就要寫得厚厚的像一本書才可以。對於「厚的像書」這個問題，我有一點看法。

先說中國的書

中國是個文化古國，三千年以來，累積了相當份量的文字著作。但是，中國的文字著作，其形式，真的是今日的書麼？這是個可以思考的事情。

中國古代雖然有著書立說（寫一本書）的說法，但是，書的定義，怕是和今天不同。書這個字的最早用法，是指寫字。六藝－禮、樂、射、御、書、數中的書，就是寫字。至於說到唸書、讀書、看書－把書看成一種東西，《莊子＼天下》「惠施多方，其書五車」是很早的記載。從動詞（寫字）過渡到名詞（書本）的過程中，儒家經典《書經》，可能有關鍵地位。所謂飽讀詩書的早期意義，應該是飽讀了《詩經》和《書經》。《書經》即是《尚書》，古文二十八篇，今文二十五篇；它是一本書嗎？不是的。《尚書》是幾十篇單篇文告的集成。以今天的觀念言之，它是論文集，不是一本書。

了解《書經》的形式，是一個開頭。試看中國的其他古書，大概情況類似。中國在唐代時候，《隋書＼經籍志》把所有的書分成經、史、子、集四部。事實上，大部分的書，（無論經、史、子、集）都是論文集，而不是書。舉重量級的著作為例罷。經的部分：《詩經》是詩集。《論語》是語錄－筆記集成。史的部分：《春秋》是條目式清單。《史記》的核心，〈世家〉〈列傳〉都是單篇歷史故事。子的部分：《老子》是札記。《莊子》是寓言集。集的部分就不用說了，最早的集應該是《楚辭》，它是本詩歌集。

所以，中國古代文字適合閱讀的，以集合短文的形式為主。不適合閱讀的長篇累牘，是查資料用的文獻檔案：例如《周禮》、《儀禮》、《禮記》。（《尚書》的書字，《史記＼天官書》的書字，更是可以看出書字的檔案意義）可見古人很明白：可以讓人「有效」閱讀的書，必須是由短文集成的短文集。（哪怕它有多厚）別人才肯看，才能看的下去。

次說中國的小說

中國因為儒家思想保守，所謂的書，多是正經書。說到不正經的「小人書」－小說呢？西漢晚期，喜歡諷刺儒家的桓譚就說「小說家合殘叢小語，近取譬喻，以作短書，治身理家，有可觀之辭。」這裡「短書」二字可以注意，顯然小說崇尚短篇－因為要「可觀」，就必須短小精幹。不過，桓譚不是正統的儒家人物。正統的東漢班固在《漢書\藝文志》裡，對小說沒有好感。他說小說是「街談巷語，道聽塗說者之所造也。」既然不喜歡，對小說的長短問題，也沒有表示意見了。（中國的小說－或者說短篇小說，由什麼人起始呢？我認為應當自莊子起始。《莊子》一書，說它是寓言集也可，說它是短篇小說集、微型小說集也可。因為，它完全合於桓譚「近取譬喻」的小說特色。）

中國的小說，在上古中古時期，延續著桓譚的「短書」路線；（包括唐朝的「傳奇」）一直到明清時代。明清小說的篇幅，顯著加長；因為，它受到了宋、元話本的很大影響。話本是什麼呢？話本就是說書者的腳本。說書，和讀書、唸書、看書不同；不自己私下閱讀一本書，而由演員公開講（演）一本書給觀眾聽。聽說書和讀小說相比，要通俗的多。因為，讀小說需要識字，聽說書不需要識字。在中國古代那個文盲比例驚人的時代，說書自然比小說更接近普羅大眾；也更現世化。因為說書要在書棚中進行，而書棚是個現金買賣的地方。所以，中國說書的特色之一，便是「拖棚」－拖拖拉拉的分好多回說。一個故事（一部書）說的場次能夠越多，說書者就可以向聽書者收取更多金錢。這種拖拖拉拉的說書腳本，就是話本。話本可以不說給聽眾聽，而拿給讀者讀嗎？這是明清小說家的一種創意了。他們或者摹仿話本，或者直接取材話本－像話本一樣的長篇章回小說，便於是乎出現了。

那麼，這種話本形式的章回小說，是「厚的像書」的小說嗎？我認為不是。明清小說家，也深懂「可以讓人有效閱讀的書，必須是由短文集成的短文集。」這個道理。明清章回小說，絕對可以視為「有連貫性的」短篇小說集。明清小說分章回，和說書者分場次的目的完全一樣。每一章回都自成單元，可以單獨閱讀。如果感到興趣，可以連續的閱讀；如果不感興趣，也就放下了。這種選擇性，是延續桓譚「短書」的高明智慧。因為不強迫讀者，反倒使讀者欲罷不能，願意花費較長的時間閱讀下去。

試看《水滸傳》罷，篇篇都是草莽的單獨故事，都是短篇小說。只是由這個短篇，發展到那個短篇。看似好漢一腔熱血，殺了這個惡人再殺那個惡人，實則由上梁山思想，把諸短篇綰合起來而成長篇。再試看《西遊記》罷，篇篇都是神怪的單獨故事，都是短篇小說；只是由這個短篇，發展到那個短篇；看似孫悟空神通廣大，打了這個妖怪又打那個妖怪，實則由上西天思想，把諸短篇綰合起來而成長篇。這個道理，放在明清以降的章回小說上，則對於中國的長篇是怎麼回事？中國對於閱讀習慣的理解是怎麼回事？都可以思過半矣。

再說西方的長篇小說

在接觸西方以前，中國的小說，（無論部頭大小）並沒有什麼長短問題。艾莉絲・門羅呼籲「希望人們能意識到，短篇小說是重要的藝術形式」，是因為西方自文藝復興後，流行長篇小說，一直到今天。（有的學者以為，西方長篇的流行，可以晚到十八世紀）小說越寫越長，原因很複雜，學者也多有專論。我以一個外行人的想像力，胡亂的說說。

第一，我認為近代小說家受制於學者。文藝復興以後，人文主義興起、綜合性大學出現；產生了大批的職業性學者。這些學者生活有保障，受人敬重。小說家和人文學者，雖然都關心人與社會，但是他們的地位顯然不同。小說家最盼望的事，就是受到學者的青睞與加持－而得以出人頭地。但是，人文學者的職業特色，偏偏就是喜歡長篇大論；喜歡整理複雜資料，得出複雜道理。（近代學者，是職業的知識份子。和中國古代文人雅士，差別可是大極了）為了迎合學者的職業性格和品評標準，小說家多半願意配合；小說便越寫越長－以便學者去分析、歸納、組織、敘述。因為在多數學者眼中，這種可以讓他們去做學問的長篇巨製，才是了不起的小說。但是，這種了不起，是學術上的了不起；不是藝術上的了不起。所以，在小說越寫越長的同時，真正有藝術價值的小說越來越少。（或者有學術價值？）君不見：諾貝爾百多位文學獎得主，有多少我們耳熟能詳？有多少作品可以見諸書肆？這些文學家，只有專業學者耳熟能詳；這些作品，只能見諸於專業學者的書房書架。因為對學者的遷就，小說家也逐步走進了象牙之塔。

第二，我認為近代小說家受制於商人。文藝復興以後，西方因為科學進步，商業隨之興起；（加上活字印刷的傳入）印刷物件的量化和商品化，是個時代趨勢。在這種趨勢中，小說得天獨厚地搭上了時代列車。寫小說，成為一種可能獲利豐厚的事業。但是，商人將本求利。一本小說的長短厚薄，決定了成本的多少。因為機械印刷的原則是：印的張數越多，單張成本越少。出版一本厚小說的成本，相對少於出版一本薄小說的成本。至於銷售呢，越厚的小說單價越高。同樣的銷售量下，書商當然要賣一本厚小說，而不願意賣一本薄小說。這個商業道理，影響了小說家的心理。他們的小說越寫越長，因為，寫越長越厚的小說，可以分得越多的版稅。

除了長篇單本小說獲利高以外，雜誌的出現，也影響近代小說的長度。雜誌是介於書籍和報紙之間的一種定期刊物。因為文字容量小，雜誌本來就以作者多、文章短取勝。但是，雜誌因為定期出刊的緣故，最怕開天窗－文章不夠，不能按時面世。所以，雜誌多希望某些作家固定給稿。對於作家而言，這應該是一個利多的局面。然而這種利多－反向的商人遷就作家，卻造成了作家的偷懶討巧；乾脆以連載的方式，刊登長篇小說。一來，雜誌以字數算錢，寫的越多錢也越多。二來，長篇經過雜誌連載，賺一次稿費；爾後出書，再賺一次版稅，何樂不為？（說到難易問題：同樣的十萬字小說。是一個長篇好寫？還是十個短篇好寫？相信小說家心裡有數）這種商業上的何樂不為，讓小說越寫越長；其中濫竽充數者，所在多有。因為受商人的誘惑，小說家也進入了金錢的競技場。

不知道是什麼原因，寫到此處，忽然憶起紀曉嵐和乾隆皇。傳說，紀曉嵐告訴乾隆，在江面上航行的，只有名與利兩隻船。真的是這樣麼？人生難道除了名與利，就沒有其他東西了麼？一個認真的人，一個肯思考的人，一個不輕易活過一次的人，一個小說藝術家…到底要追求什麼呢？艾莉絲·門羅已經八十二了。她輕描淡寫的說了句「希望人們能意識到，短篇小說是重要的藝術形式」。她是什麼意思呢？是對自己的小說形式說話？是對幾百年來的小說形式說話？是對未來的小說家說話？還是，她什麼也沒說；只是在風燭殘年時候，對人類近世文化中逐漸逝去的某種品質，發出了輕輕地歎息？

演員的面具與其他

（完稿於 2015年4月1日）

我有一位親戚，年輕時是演員；有些歲數以後，也就從事其他行業了。這位親戚當年入行，對於戲劇相當瘋狂。有一天，他對我說，「人生如戲，戲如人生」是他的座右銘。我很有些意見，嚴肅地表示：戲如人生沒有問題，戲劇反映人生麼；但是人生如戲不大好，有玩世不恭的意思；演員是擁有面具的人，何時戴上何時摘下，應有分際。說這個話的時候，我是二十五歲青年。

戲劇在藝術活動中，確乎有一種特別的地位－和其他藝術項目相比較，戲劇是人類所獨有的藝術。這個說法有些怪異，似乎其他動物也有藝術？只是其他動物沒有戲劇？事實上，其他動物是沒有藝術的。不過，在其他動物身上，能夠找到類似藝術的行為。這個問題，可以分為幾點來敘述：

一，就生物角度而言，藝術中的音樂、美術、舞蹈，實屬人類之異常行為－異常地展示聲音、顏色、肢體。動物也會異常地展示聲音、顏色、肢體－那是它們發情求偶之時。可見發情求偶，是這些異常行為的共同淵源。不過，人類有智慧，能夠把這些異常，通過累積組合，整理為可欣賞（不再有求偶聯想）的獨立活動。這些獨立活動，就是藝術中的音樂、美術、舞蹈。（因此我在其他文中，主張藝術源自求偶，而非源自其他事項）

二，動物有類似音樂、美術、舞蹈的行為，卻沒有類似戲劇的行為。求偶過程中，動物的聲音、顏色、肢體雖然異常，卻是以實力展現其基因優勢。（聲音好聽，顏色好看，動作快速有力；即是獲得青睞的根本）動物不製造虛擬情境去迷惑異性；也即是說，動物（包括未脫離動物的人類）不需要面具，它們不演戲。

三，戲劇是展示虛擬情境的行為，顯然比音樂、美術、舞蹈複雜。我認為它的來源和求偶關係少，和宗教關係多。（可參考〈我們的虛擬世界〉一文）因為，展示虛擬情境（虛擬世界）是宗教為人信仰的基本手段。原始社會中，尚可看見巫師通神時，負責這種虛擬展演－戴著面具，假裝祖靈神明的降臨。戲劇與宗教之密切關係，於此可見一斑。

展示基因優勢，比展示虛擬世界簡單多了。前者表現貨真價實的實力，後者表現無中生有的情境。因此，戲劇活動需要超乎異常的誇張舉止，以為引人入勝。無論是異常還是誇張，戲劇術語都稱之為演。演是人類特有的虛擬面具。這個面具，從巫師到演員，可是經過長時間進化；從看得見的實體面具，發展至看不見的肉身面具。演員經過訓練，可以直接幻化成為各種人物。（實體面具，則因為原始古

老，今日多半陳列在博物館裡）

演這個字，本來即有虛擬意味。（演習、演義等等最見其義）在中國，從事虛擬的演員稱為戲子，一向不受重視；戲劇與表演理論，流傳得很少。在西方，演戲是大學問。自古希臘開始，戲劇和文學、政治就有密切連結。至於說理論的流傳，更是比東方多得多了。

> 反觀中國，因為崇尚「文以載道」，文學不容易和戲劇發生關係－中國保存最早的劇本，或竟晚至南宋《張協狀元》？因為崇尚「聖人之治」，政治不容易和戲劇發生關係－敢談論政治人物演戲，或竟晚至民國李宗吾《厚黑學》？

在諸多談論表演的理論中，18 世紀法國狄德羅（Denis Diderot）的〈論演員矛盾〉講法很有趣。他認為，演戲需要極度冷靜理智，凡是感情豐沛的演員，都不是好演員；凡是在戲中動感情的演員，都是無能之輩。這種強調演技，而將感情剔除在表演之外的見解，把演員面具描寫的很傳神。表演必須是「看起來是真的，其實不是真的」。如果「看起來是真的，其實也是真的」，那就不是表演了。

> 感情與演技，是動人的兩種方式。一種是真的，偶然的；一種是假的，專業的。演員不能等待那種偶然，而必須訴諸專業。這種說法，也可以解釋兒童演戲問題－兒童演員與成人演員相反，是訴諸感情而不訴諸專業的。因此天才童星長大後，未必是天才演員－關鍵在感情與理智的轉換過程，是否成功。

狄德羅的話是不錯的，演員靠演技而不靠感情。可是，所謂演技是如何訓練的呢？那個肉身面具，是如何捏塑的呢？

演技是演員的生命，是通過摹仿而訓練出來的誇張。有人說，戲劇不就是摹仿人生百態麼？這句話值得商榷。戲劇訓練，並不是隨意摹仿人生百態，而是經過挑選地，摹仿典型人物之人生百態。各行各業中，都有典型人物；凡是可以被觀眾一眼辨識的典型人物，才是演員值得摹仿的對象。觀眾不想看社會上的浮泛之輩，他們要看典型，要看各種面具的典型意義。戲劇是表演藝術，是時間藝術－演員必須在最短時間內，讓觀眾明白角色是什麼個性。演技是通過摹仿而捏塑出來的各種面具。在這些面具上，誇張有極其重要的地位。它的目的在於強化典型；讓典型人物更突出，更容易辨識。

然而，誇張到什麼程度呢？這種分寸，是演員各自的心血揣摩。舞台上，可以盡其誇張而不顧忌者，唯有諧星。諧星以絕對誇張，滿足人類虐待與被虐需求。觀看喜劇（鬧劇）而發笑，是釋放了個人痛苦－看他人之苦而平衡自己之苦。能夠讓他人發笑的演員，是最偉大的演員。他們從事著一種藝術娛樂工作，也從事著一種社會慈善工作。

這樣說來，擁有演技的專業演員，真是一群可怕的人。他們攜帶各種面具，輕易變形為其他人物；大家在社會上要受之操弄了。然而，事實並非如此。演員離開舞台，在其他行業中討生活，似乎常常不如人意，似乎常常吃虧上當。他們的演技，在真實人生中竟然失效。好像社會上有什麼機制存在－演技離開舞台後，便不易令人與之共鳴。這個問題，可以從兩方面來解釋：

第一，演員雖有變換角色的面具，可是離開舞台後，面具卻容易遭到識破。因為，演員的演技是誇張地、非常地摹仿；在舞台上受喝彩，卻不見容於現實社會－現實社會得以順暢運作，其基本規則，就是允許正常，不允許非常。所以，演員在舞台下演戲，非但不能引起擬真想像，還會因為過度容易辨識，顯得極不真實。那種突兀的不真實，不禁令人側目，遑論與之共鳴了。對於誇張的不同標準與接受程度，就是我上面說的那種社會機制；那種機制，使得演員演技，難以離開舞台。

第二，演員大概不願意承認－社會上的人，也會演戲，也有面具。舞台上的戲與社會上的戲，不是戲碼不同，而是演技要求不同。舞台上的戲，要求一種容易辨識的誇張；社會上的戲，要求一種難以辨識的收斂。前者通過表情與肢體，暴露內在的感情世界；後者通過表情與肢體，隱藏內在的感情世界。換句話說，舞台演員，即便內心冷靜無比，卻戴著七情六慾的面具，假裝情緒滿溢。社會演員，即便內心澎湃不已，卻戴著沒有表情的面具，假裝毫無情緒。（如果毫無情緒太過冷漠，社會演員就在那個空白面具上，鑿刻一抹笑容）這兩種演技的鍛鍊與形成，孰難孰易呢？真是難以比較。不過這兩種演技的現實意義，相距不可以道里計。在講究鬥爭的真實社會中，戲劇演員怎麼能夠與社會演員較量？那兩種面具的較量，簡直是兒童與成人的較量。演員在舞台上，也許是瘋子，但是面對社會，卻成了傻子 。

人類社會，是極端異化的生物社會。弱肉強食的規律，並不準確地運行於我們左右。人類各項能力的有無，（包括知識和經驗）可以和動物的力量強弱相比擬。然而，無能者（弱者）壓制有能者（強者）卻是普遍現象。因為在爾虞我詐的社會中，除了真實本領外，如何機巧地使「人心不能知我心」，是鬥爭的成敗關鍵。「知我心」與

「不知我心」的不同要求，是戲劇與人生中，兩種面具的不同製作目的。一個演員，不能體會這兩種演技的差異，則不應該離開舞台。

三十五年前，我的那位演員親戚，不能同意我的「面具分際說」，而堅持以「人生如戲說」為宗旨。三十五年後，他仍然四海雲遊，過著戲劇化的生活。我的立場，始終沒有什麼改變。只是因為年齡漸長，越來越能夠以文字把想法說清楚。不過，兩個人的人生都已過去大半，很多話也不必再細說從頭了。演員以及任何藝術家，是相對比較單純的人物。在社會上，這些相對單純的心靈，或許需要額外的祝福。

完稿於 2015 愚人節

靈感與記憶

（完稿於 2002年5月6日）

我喜歡傑克倫敦的小說。他的《白牙》、《野性的呼喚》以及《海狼》都放在書架，伸手可及的地方。這幾部書，描寫人性與獸性極為深刻。當作刻劃自然，立志奮鬥；或者頌揚獸性，貶低人性的哲學書來看，都十分有意思。我也常推薦這幾部書，給人文氣味太重的人看。

前數日又翻看傑克倫敦的年譜。忽然發現，他的這三部著作，都是三十歲以前寫的。其中《野性的呼喚》在 1903 年二十七歲出版。《海狼》為 1904 年二十八歲出版。《白牙》是 1906 年三十歲出版。

這個發現，我覺得很吃驚。倒不是因為有人主張，人的創造力多出現在三十歲以前說法，在傑克倫敦身上也應驗。而是我想到傑克倫敦的早年生活；以及創造和記憶之間的關係。

傑克倫敦十幾歲時候，曾經做工人，做水手，做海盜，甚至以流浪漢身份關在牢裡。他的這些生活歷練，當然都是創造泉源，也是他的作品感人原因。可是，傑克倫敦後期的作品，沒有那樣成功，是不是因為在多年以後，他將這些的生活記憶忘掉了呢？如果是，那麼可怕的倒不是靈感之枯涸，而是經驗記憶會隨著年齡而逐漸淡忘。清代的畫家石濤，在《畫語錄》一書中說「筆非生活不靈」。創造源於生活；靈感，是自經驗記憶中放出的火花。沒有了記憶，就沒有了靈感。

記得以前父親不止一次說「看看以前的作品，發現也還不錯，那時的風格，現在也寫不出來。」這個說法，是說藝術固有因年齡而成熟的風格；也有不關成熟，而僅只是階段性表現的風格。換句話說，我們可以把藝術生命看成一條直線，向生命終結處延伸；也可以把它看成幾個不同的線段，每一段，都有每一段特殊之處。每一段之間，不必然有關連。線段的相加，也不必然等於那條直線的總和。

再換句話說，人不見得越來越成熟。人只是生活在：由不同經驗記憶所操控，一段段的生命片斷之中。

還是回到傑克倫敦罷。他的重要作品，出現在三十歲以前，是因為年輕時候的記憶深刻。三十歲以後作品不再那麼成功，我以為，是他的少年記憶已經忘去，對那段生命已經無感。同時，他自以為「成熟」，不願再操以往「幼稚」筆調，或者也是重要原因。只是，他的成熟，並沒有讓他寫出其他重要作品。

所以，我說靈感源於生活。沒有生活就沒有靈感，太久以前的經驗，會漸漸忘記，會對之無感－會生不出靈感火花。所以，等待成熟，是創作大忌。因為成熟本身並不感人，感人的是對成熟之追求。目的並不感人，感人的是過程。

蘇東坡有詩曰：「廬山煙雨浙江潮，未到千般恨不消，即至到來無一物，廬山煙雨浙江潮。」傑克倫敦大概也有此感罷。他在 1916 年（四十歲）11 月 22 日，因服用過量嗎啡死亡。

藝術，一種奇特的行業

（完稿於 2005年3月8日）

藝術是一種奇特的行業。說它是行業，因為多半藝術家要靠它謀生。說它奇特，因為藝術家若是心中總有謀生二字，又不能產生高明藝術。因此，感性上，與其說藝術是行業，不如說藝術是命運；只要沾染它而為它所吸引，便可能終生過著藝術家的生活，不得解脫。

藝術家是精神上極度有所求的人。套一句佛家語，是執著而痛苦的人。雖然我們不必強調「文窮而後工」的說法，但是藝術的產生，須要經過長期痛苦努力，卻是不爭之實。藝術家與非藝術家的最大不同，在於個性；藝術家喜歡追根究底。這種個性，使藝術家花費很多時間精力，去了解世間的各種簡單道理。當然，一旦有所感、悟，亦是較為深刻。藝術家深刻感、悟諸般道理後，會形成強烈獨特的自我。（ego）藝術家不像科學家一般，將其感、悟道理直接表述，而是透過媒介與手段，表現那個強烈獨特，多少有點疏離異化（alienate）的自我。在處處隱藏自我的社會中，表現自我是反常行為；因此，藝術家常遭人視為異類。

藝術家喜歡說 popular art，high art。前者當翻譯為通俗藝術；後者當翻譯為純藝術。藝術在此，被二分法（binary）一分為二。二分法常常不夠嚴謹，但是簡單實用。因此，很多藝術家在極為年輕時候，就有了一種觀念。認為藝術有兩種：一種是通俗藝術；妥協於現實社會。一種是純藝術；不食人間煙火。似乎藝術分類，由藝術家的態度決定，可以有兩種截然不同的層次。事實上，關於藝術的問題，固然可以主觀的以創作者（藝術家）角度審視，也可以客觀的以欣賞者角度審視。如果，把創作者和欣賞者，同時納入經濟學的供需（supply and demand）理論中觀照，不少藝術問題，可以有比較廣角的解讀。

人在社會裡工作，必須與他人發生關係。其目的，是在這種關係中，得到物質報酬與精神肯定。所以，感性上，固可視藝術為命運；理性上，還是要視藝術為行業。既然是行業，藝術就必須為社會提供些什麼，交換些什麼。藝術在社會運作中，提供、交換什麼呢？我以為中國「自娛娛人」這個成語，最能說明藝術的社會功能與價值。娛，就是娛樂。（entertainment）說藝術是娛樂，大概令不少藝術家不安、沮喪。不過，職業無分貴賤，娛樂並不是一份壞差事。

人有眼耳鼻舌身五種感官。外在種種，皆由五官進入，而產生色聲香味觸五種感覺。藝術，也皆由五官進入，而產生五種藝術經驗。一般而言，眼的藝術，有美術、戲劇、舞蹈。耳的藝術，有音樂。鼻、舌的藝術，有香藝、廚藝。身（觸覺）的藝術，不能說沒有，但是它常涉及肉慾行為。因此在古典的藝術理論中，以為色聲香味觸五種感覺中，觸覺的層次最低。（事實上，五官的藝術經驗，並不是那

麼單純。例如：廚藝同時講究色、香、味，舞蹈、戲劇同時需要眼睛、耳朵等等）

簡言之，藝術就是經由感官產生感覺的活動。其活動方式，就是通過眼耳鼻舌身的官能，喚起色聲香味觸的快感，（或學術性地稱之為美感）讓人覺得愉快。這個讓人愉快的過程，就是娛樂的過程。藝術確確實實是一種感官的娛樂，其目的就是為了「娛人耳目」。

既然藝術是為了「娛人耳目」，那麼，前面說的通俗藝術、純藝術兩個層次，差別又在那裡呢？原來，這兩個層次的藝術，本質上並沒有差別，差別在於服務對象－欣賞者的品味（taste）不同。有人要看通俗劇，有人要看古典戲，娛樂的本質並無差別。有人要聽流行歌，有人要聽崑山曲，娛樂的本質並無差別。有人要看連環漫畫，有人要看名人字畫；娛樂的本質，仍然沒有差別。唯一的差別，僅僅在於品味本身；僅僅在於不同的人需要不同的娛樂；而不同的藝術家，提供了不同的娛樂。

人類社會，本來即是盡己所能、取己所需的社會。因此，雖然有人服務普通五官，有人服務特殊五官。但是服務的目的－娛樂，並沒有不同。藝術即是娛樂，藝術家即是娛人者，英文是 entertainer。不過，藝術終究和其他行業不大一樣。不一樣處，就在「自娛娛人」的「自娛」二字。如前所述，藝術是藝術家呈現的強烈獨特自我。如果這個自我層級太高，無人可以品嚐；（術語叫做「不共鳴」）那麼，這個自我還可以自己品嚐。不能娛人，尚可視為人生紀錄而「自娛」－自己娛樂自己。藝術家，很像是賣包子的；包子賣不出去，可以自己吃掉。藝術家，又不像是賣包子的；藝術賣不出去，不會像包子一樣壞掉。說不定多少年後，終於有人可以品嚐。（術語叫做「共鳴」）很多偉大藝術家，成名都在身後。這個道理想通，也就釋然。

進入藝術這個行業，要同時具備吃苦與達觀的人格特質，才能適應良好。懂得「自娛娛人」的藝術家，明白自己的社會角色，總是可喜。不懂這個道理，不明白自己的社會角色，非但不能「自娛娛人」，還要「自欺欺人」，那就可悲了。

至於藝術除了「自娛娛人」外，有沒有「寓教於樂」的功能呢？那是傳統儒家的觀點。講的人太多，也就在此不論了。

（初稿於 1994 年夏天）

系統與價值－談談莊喆與張大千

（完稿於 2006年3月2日）

前言

很多人問我，藝術有沒有標準？我說藝術沒有標準－藝術因為時間、空間、社會階層、藝術類別不同，而有不同標準。這種說法，是說藝術沒有普世的統一標準。但是在時間、空間、社會階層、類別固定的情況下，藝術依然有標準。否則，那麼多的藝術作品，如何比較其優劣？那麼多的藝術作品，如何羅列排比，建立起藝術歷史？

藝術雖然沒有統一的標準，但是，藝術有系統－時間、空間、階層、類別，就是藝術的四個基本系統。同時間、同空間、同階層、同類別的藝術作品，才可以相互比較，進而決定價值。不同系統中的藝術作品，難以比較；如果硬要加以比較優劣，就要流於穿鑿附會了。因此，主觀上說喜歡某人作品，是簡單的個人喜好問題。客觀上說某人作品優於某人作品，是嚴格的藝術學術問題。下面舉幾個例子來說明罷。

1 同類別，但是時間不同的例子：唐朝李思訓和元朝黃公望，雖然都畫山水，因為不同時間，而難以比較優劣。

2 同時間，但是類別不同的例子：畫山水的郭熙和畫花鳥的崔白，雖然都是北宋大家，因為類別不同，而難以比較優劣。

3 同時間，但是空間不同的例子：張大千和畢卡索，雖然都是二十世紀的世界級大師，因為空間不同，一東一西，而難以比較優劣。

4 同時間，但是社會階層不同的例子：吸收西畫技巧的徐悲鴻，和描寫民間苦樂的豐子愷，都是民國初年重要畫家，因為反映的階層不同，而難以比較優劣。

所謂比較，是指比較藝術價值，而非比較市場價值。如果要說市場價值，自然張大千的價值不能和畢卡索相提並論，徐悲鴻的價值遠遠超過豐子愷。然而藝術市場價值，多半由投機牟利者操控。不合理的市場價值，(與其所代表的短暫藝術價值）最後都將經過歷史篩選，而發生改變。最終的市場價值，(千百年後的市場價值）還是要由藝術價值來決定。這一點，藝術和學術一樣的可悲，與可喜。

這四個系統，可以有十六種組合，顯現十六種難以跨越的系統障礙。就不再一一地例舉了。

藝術系統和藝術價值，有絕對的關係－價值由系統決定；不同系統之中，價值不一樣；更換不同的系統，價值亦隨之而改變。這是有關藝術系統、價值的基本認知。這種認知看似普通，藝術愛好者，卻不見得明白。很多無謂的「粉絲型」爭執，(fans argument）都是源於不明白藝術品評是學術，必須「有系統地看待藝術作品，才能有分寸地說話」。這種認知看似普通，藝術家也不見得明白。很多藝術家方向不準確，繞了冤枉路，也是因為不明白「藝術作品將有系統地進入歷史」這件事。了解藝術系統和藝術價值之間的關係，對於藝術參與者－無論欣賞或創造，都是很重要的一件事情。

當藝術遇到藝術史

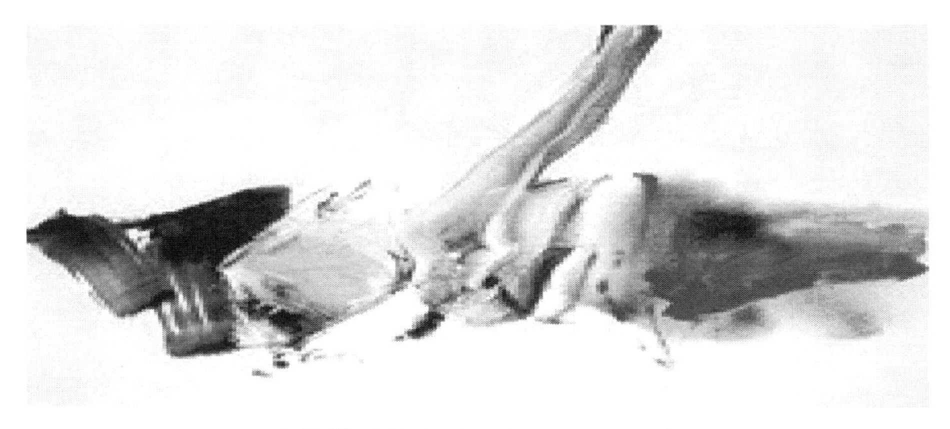

（莊喆〈抽象油彩〉 1980 年）

莊喆，(Chuang Che) 是當代重要的抽象畫家。1987－1991，我在美國密西根大學（UM, Ann Arbor）念藝術史博士。莊喆住在附近，有自己的農場，過得很舒服。他的抽象畫，當時已經有名氣。我非常喜歡莊喆作品，能夠去他家和他聊天，視為莫大享受。有一次，也是酒酣耳熱之際罷，對他發表了一些議論。當時的談話內容，便是本文主題。轉眼間，已是二十五年前的事了。

> 莊喆，是前故宮副院長莊嚴先生公子。當時莊喆在紐約有經紀人，他一年只需畫十張畫「交差」。還有，他養了一隻碩大無朋的天竺鼠，比狗還大。

我很重視莊喆的畫－他的畫有大面積色塊，氣勢渾雄；色塊中，又有極為豐富的顏色與線條變化。我第一眼看到他的繪畫原作，就對他說「你的畫是筆墨意涵的放大」。我的意思是，他雖然畫西方的抽象油畫，但是，他用油畫技巧與抽象觀念，詮釋出中國畫的筆墨趣味。看他的畫，就像看見一個穿西裝戴禮帽的中國老紳士；無論形式如何洋化，骨子裡散發著「舊」的不得了的，中國式美感趣味。

我記得還說過，「你的抽象畫，真是像極了古玉沁色」。中國人欣賞古玉沁色，和欣賞水墨畫的筆墨，幾乎建立在完全相同的審美趣味上。這個相當有涵蓋性的趣味，或者可以攏統的稱之為「自然」。不過，彼自然不是西方的自然主義，而是特指「時間痕跡」－也就是「舊」。很多中國的藝術項目中，都可以發現藝術家對「時間痕跡」的刻意模仿。中國的藝術趣味，和「舊」脫不了關係。書法強調自然，喜歡說「屋漏痕」；（水由牆壁上流下來的自然痕跡）我常喜歡補上一句：「舊屋子才漏水」。（「屋漏痕」說法，見〈釋懷素與顏真卿論草書〉文）

由於對莊喆的抽象畫這樣看重，我嚴肅的問了他一個露骨問題：「如果美國畫家可以分為十等，你覺得你在美國畫壇上，是第幾等畫家?」莊喆是爽朗的人；他明白，我這個小老弟只是好發問，沒有找他麻煩的意思。他想了一下，看著我，很慎重的回答：「我認為我在二、三等之間」。

因為莊喆的真誠，我也更大膽的跟他說：「你的畫在西方是二、三等，在東方是第一等。你應該回到東方！」我委婉地，向我佩服的成功畫家表示，他應該注意到藝術的系統問題。

當東方遇到西方

（張大千〈玉照山房圖〉　筆者舊藏）

西方的抽象畫，從蒙特里安 Piet Mondrian（1872－1944）康定斯基 Wassily Kandinsky（1866－1944）開始，有好幾十年的經營。在瞬息萬變、派別林立的西方畫壇，抽象畫已是二十世紀前半的舊東西了。世紀後半的抽象畫家，無論有多好的表現，生存於講究創新的西方藝術系統中，不可能再佔有顯赫的位置。這不是藝術家、藝術作品的問題，這是系統的問題。

換個角度講，如果莊喆的畫放在東方藝術系統中，會有什麼情況呢？我認為他會是二十世紀後半，中國繪畫的重要開創者之一。他非但是第一等畫家，甚至很容易在中國繪畫系統中，成為張大千後繼者。這個道理，也要從系統上說起。

張大千是了不起的畫家；在中國畫的系統裡，地位確定。他晚年的潑墨，是他在中國系統中享有大名的原因。張大千潑墨山水的貢獻，與歷代繪畫大師一樣，有承先啟後的作用－也就是承接舊有系統，並將之往前更推進一步。但是張大千的重要性，尚不僅如此。他不但在時間上能夠接續與創新，在空間上，他也對中國系統起了擴展作用。張大千，讓東西方的藝術系統，在二十世紀有了交集；其交集點，就是他的抽象潑墨觀念。

在西方人眼裡，以點、線、面、色來暗示具象形狀，就是抽象。張大千的潑墨藝術，在十九世紀西方，不會受到任何讚譽。然而到了二十世紀，西方系統裡，出現抽象藝術這個項目。西方的抽象藝術家，與東方的張大千，幾乎在同一時段中，了解與掌握了共同的繪畫觀念和語言。他們使得東西兩個系統，彼此之間可以對話。這是張大千被西方系統重視，在東方系統中，也格外重要的原因。張大千之所以為張大千，是他個人努力的結果，也是兩個藝術系統交互作用下的結果。二十世紀，東西兩個系統交會的過程中，張大千是一個使者。

然而，接下來呢？在中國出了一個張大千之後，這個交會的局面要怎麼維持？怎麼繼續呢？我認為，中國的機會來了。

抽象的延續和發揚

抽象藝術在西方，是二十世紀的一個藝術派別。它在波濤洶湧的藝術世界中，曾經風光；在後繼畫派的推擠下，似乎漸漸沒落。不過，如果從更高更廣的視野了解藝術史：抽象觀念，基本上，是二十世紀西方藝術的主方向與大成就。二十世紀的西方藝術，幾乎沒有不受抽象觀念的影響－二十世紀，根本就是以抽象為主軸的世紀。只是在這個主軸之下，藝術家們各自表述；給他們的藝術各種名稱。因此，抽象藝術這個藝術派別，或者被人淡忘。但是，抽象的觀念與精神，卻充分融入西方的藝術血脈之中。並且在可見的未來，會繼續地，成為西方藝術之重要成分。

即然抽象的精神方興未艾，回到前面的問題：在以抽象做為東西藝術交集，並且持續交集的這件事情上，中國應該如何自處？我認為，中國有主導權；有極為有利的條件，成為下一波藝術潮流的領航者。因為，抽象在西方是新觀念，在中國是老傳統。（漢代的書法，是最早的抽象藝術。當時探討抽象觀念的文字記錄，距今已有將近兩千年）

抽象藝術的先驅，確是漢代書法家。他們不但留下作品，也留下理論文字。可以參考王大智〈書論中的抽象觀研究－三篇早期文獻舉例〉《史學彙刊》2008 / 2

換句話說，在這個有交集、有後續發展的局面中，中國應該以老大哥的姿態面對西方，提供觀念、資源；甚至給予指導。中國藝術系統可以影響西方藝術系統，這是多麼好的機會。

再把問題回到莊喆繪畫上，談他抽象繪畫的可能發展。我認為，莊喆的抽象與張大千的抽象，觀念上相貫通、風格上相延續。張大千的抽象表現，集中在潑墨技巧上。他在中國傳統繪畫裡，加上大面積色塊。不過，張大千的畫，仍然偏於傳統。他絕對在傳統與抽象之間，有輕重上的取捨。可以說，張大千只是在傳統的形式中，局部地，加入了抽象元素。（大面積色塊）而莊喆的抽象表現則不同。莊喆更進一步，（或者說跳躍了好幾步）放棄了傳統形式，而完全以西方形式，表現中國筆墨的抽象內涵。形式上，他比張大千更抽象，更接近西方；但是在內容上，他卻和張大千一樣東方，甚至比張大千更深入中國藝術的核心。他以西方形式，探討中國畫的筆墨問題；他以西方形式，探討中國畫的本質問題。

> 筆墨是中國畫（宋元以後）的核心訴求；它接近西方的線條，（brush work）但是並不等於線條。筆墨是可以獨立欣賞的線條，是構成形狀的抽象元素：包括點、線、塊面甚至顏色（唐代張彥遠《歷代名畫記》中，就說過「運墨而五色具」的話）。今天，中國畫家已經不再重視筆墨；我們對於筆墨是什麼、筆墨是否重要、筆墨和西方抽象藝術間的可能交集等問題，都應該認真嚴肅的重新檢討。中國藝術之未來，不在於急躁的與西方接觸，在於我們和人家接觸的時候，可以拿出什麼有特色的東西來。

莊喆，這個形式上完全西方，內容上十足東方的抽象畫家；絕對有機會，繼張大千之後，繼續與西方交集；以導師的姿態，繼續向西方展現中國的抽象世界。但是，這一切的機會與可能性，都必須建立在一個基礎上。那就是莊喆認同的系統是什麼？他如果認同中國繪畫系統，那麼前面說的一切，都有意義。如果他認同西洋繪畫系統，那麼前面說的一切，都沒有意義。

> 如果，他什麼系統都不認同；認為他的繪畫是「國際化」與「世界化」的；那麼，他的藝術，就只好流浪在空洞的想像之中。「國際化」與「世界化」是上個世紀的東方民族，為了反傳統，最喜歡說的話。事實上，這兩個名辭，為十九世紀留下的浪漫想像；無論政治、藝術都是一樣。在當時，「國際化」與「世界化」，就是歐洲化；要大家接受歐洲文化系統。（無論歐洲的資本主義、共產主

義，還是歐洲的油畫）就像現在的「全球化」就是美國化一樣；要大家接受美國文化系統。（無論美國的民主、人權還是美國的「賣當奴」）當今的歐洲國家，為什麼那麼反對「全球化」呢？道理很簡單。歐洲國家的力量，在上世紀前半就被美國取代了；現在，他們很以為傲的文化與標準，也要被美國取代了。東方民族，應該看清楚這一點。

這就是二十五年以前，我跟莊喆說的，關於藝術系統和藝術價值的事情。

後記

藝術家如何取捨系統，牽涉到什麼系統有利於未來發展。很多藝術家認為，關於發展這件事，不應該多談；藝術家不需要理智的分析未來，只要有才氣和熱情，面對現在。這種說法，有其可敬佩之處。不過，就歷史和藝術史的訓練而言，我認為，鑑往知來還是知識的最後目的。任何事情的發展與趨勢，都可以加以評估和推測。很多大藝術家的作品，能夠抓住時代脈動而名留千古，是因為客觀上的歷史偶然？還是因為主觀上的深思熟慮？是值得玩味的事情。

我與莊喆這樣談話，是因為我有機會與他這樣談話。與任何有企圖心的中國藝術家談話，我都會這樣表達我的想法。

美的問題和美學的問題

（完稿於 2013年4月17日）

緣起

我在大學教授「中國藝術思想史」，超過二十年。從一開始設定名稱，到最近一兩年，都有人問我，為什麼非要說「藝術思想」而不說「美學」呢？美學這個名字聽起來洋派，跨越很多領域，在社會上也普遍流行。甚至有人說，「你幾十年前跟姚一葦學『高級美學』和『藝術批評』。大家對他《藝術的奧祕》、《美的範疇論》也有好評價。為什麼不繼承他的美學傳統？講起什麼藝術思想來呢？姚一葦可是台灣的美學泰斗了。」

美學本是一種很艱澀的學問；但是多年來，它卻被濫用而商業化；尤其是和時髦、時尚走得很近。社會上，和藝術沾一點邊的事，或者不沾一點邊的事，都有人以美學二字來「美化」之。似乎只要牽扯上美學，便有了高尚風雅的氣味。我不喜歡政治化的學術，也不喜歡商業化的學術。我不用美學兩個字的原因，可能在潛意識裡有區隔、避嫌的意思。另外，我不用美學兩個字的原因，是因為我對它的定義和架構，始終感覺疑惑。

美的普世標準問題

美學 Aesthetics 是研究美（美感、美感經驗）之性質與相關法則的學問。但是研究美學的人，並不是與美最相關的藝術家，而是哲學家。在大學裡，美學主要屬哲學系課程，而非藝術系課程。它發源於古希臘，卻是在十八世紀時，由德國哲學家包姆加敦（Alexander Gottlieb Baumgarten 1714－1762）提出，並且界定為「感性認知的科學」，歸為哲學之一種。後來，這個學問受到不少哲學家重視；特別是因為康德與黑格爾的青睞與加持，而站穩腳步。

> 上述認識，可能有普及的價值。因為社會一般人並不了解，美學和藝術沒什麼關係，而是一種哲學。哲學二字，或者可以舒緩美學被濫用的現象？使濫用美學的人士，望而卻步？（一笑）

哲學和科學，在早期的西方，沒有什麼分別；準確的說，科學長時間被包括在哲學的範疇之內。哲學家和科學家，都對各種現象好奇，都試圖解釋各種現象。並且，希望其解釋具有普遍性；或者說，得到真理－能夠放諸四海皆準，經得起時間考驗。文藝復興之後，各種原來屬於哲學的項目，紛紛以自然科學、（物理學、化學、數學、生物學等）社會科學（考古學、人類學、社會學、心理學等）之名，建立起獨立的領域。科學的範圍擴展，哲學的範圍壓縮。可以通過試驗，驗證是否為真理的部分，成為科學。不能夠通過試驗，驗證是否為真理的部分，繼續保留在哲學的範疇之內。

哲學，被（方法上）更為理性的科學「瓜分」了，大多數哲學家不能「究天人之際」，而只能「成一家之言」了。也即是說，追求「普遍真理」的角色，被科學家搶去；哲學家能夠在特定角度、層面上，被人認為言之成理，也就可以滿足。十八世紀的哲學家包姆加敦，把美學界定為一種「感性認知的科學」，是托大了。因為美學不能夠放諸四海皆準，美學沒有被稱為普遍真理的地位；美學不是一種科學。

美學不是科學。但是，部分美學研究者，還是企圖追求美學的，科學般的，普世價值。他們投入力量，從生理學和心理學角度研究美學。希望找出美感在人類生理、心理上的共通之處。這種美學研究，有沒有得出生理、心理學上的規律，很是難說。（詳後）它們對於美學本身有沒有貢獻，則更是難說。因為這種研究，把所謂「感性認知的科學」，劃分到別的學術領域中去了。其研究，應當稱為美感的生理、心理學研究？還是美學研究呢？結果，讓美學領域再次壓縮，而不是突破。美學不能與時俱進的有什麼發展，而是逐漸地退化為一種史學－美學史；研究有哪些人曾經研究美學，可以在歷史上稱為美學家。

美學的問題在哪裡？為什麼走上狹窄的路？其實說來也很簡單，錯誤出在原始的「感性認知的科學」那個定義上；出在文藝復興以來，所有的學術都想跟科學靠近，追求普世真理的那個企圖心上。原來，美感問題，根本就不是普世真理問題。美感，既不依附於美術品的客觀屬性；也不根植於基因的必然生理、心理反應。

例如；有人認為金字塔很美，有人認為金字塔不美。美或者不美，不是金字塔的客觀屬性，而是欣賞者和金字塔共鳴下的心靈產物。

至於共鳴還是不共鳴？差異性可說大極了。我們看見金字塔後的生理、心理反應，絕對不一致。

科學的目的是尋找共同性，但是美感這個問題的特點，就是沒有共同性。它是以相異為特色，而非以相同為特色。如果非要以相同（科學的普世原則）為前提去了解美感，真是緣木求魚了。一種滿是歧異，不具客觀性和必然性的學問，如何可以發展成為科學呢？美學，這種想把美感納入科學的學問，從開始就走錯了路。

美的文化現象問題

美感沒有科學共相，而是一種文化現象。美感的歧異，源於文化的歧異。我們對於美的不同體會，是因為有不同的文化蘊涵在背後主導。美沒有普世的標準；不同的文化有不同的美感標準，不同的文化，對於美有不同的感受。既然美感的歧異，源於文化的歧異；有什麼因素可以影響文化，使之產生不同美感標準呢？我認為最主要的因素有下面幾個：

第一，空間不同，文化不同，美感標準不同。例如：同處於二十一世紀，非洲一些部落以女人肥胖為美。如果女人不肥胖，則男人不喜愛，無法出嫁。東南亞泰國、緬甸一帶有長頸族。女人以在頸部套上銅環為美；年紀越大，環數越多，脖子越長。顯然在不同的空間裡，有著不同的文化，有著不同的審美標準。二十一世紀是全球化聲浪高漲的時代。然而，若是我們以為美有普世標準，以為肥胖女人、長頸女人醜陋，則是偏見；則是以學術為工具，歧視別人的文化。

第二，時間不同，文化不同，美感標準不同。例如：漢代趙飛燕那樣瘦，唐代楊貴妃那樣胖。一瘦一胖，差別那麼大，卻都各領風騷，為漢、唐兩代女人所追隨摹仿。可見空間即便固定，審美標準也會隨著時間的變化而變化。（漢、唐並稱盛世，但是漢文化起於婉約的南方，唐文化起於粗獷的北方。漢、唐文化上有大歧異，因此，漢、唐的審美標準，也有大歧異。）中國戲劇界有個笑話，叫做「關公戰秦瓊」，兩個漢、唐大將，戲台上拼死活。趙飛燕、楊貴妃兩個女人，哪一個更美呢？如果她們爭論起美感問題，大概也是那種場面。

第三，階級不同，文化不同，美感標準不同。例如：宋徽宗為什麼喜歡李師師？吳三桂為什麼喜歡陳圓圓？蔡鍔為什麼喜歡小鳳仙？社會上層人物為什麼跨越階級，和下層人物來往？是淡掃娥眉好看，是濃妝艷抹好看？是國色天香好看，是庸俗脂粉好看？不同階級的人物，對於美感有不同的認知。鄭聲和雅樂，應該是階級美感的早期紀錄。雅、俗問題，始終是中國審美意識的重大癥結。然而，宋徽宗、吳三桂和蔡鍔，越過了宋玉「陽春白雪」「下里巴人」的階級意識，而受到不同的階級美感所吸引。換句話講，也正是因為同一時空中，各個階級之文化不同，（社會學家喜歡說，有不同的「次文化」subculture）美感有異；我們才會對上述「門不當戶不對」的人物側目，或者，引以為佳話。這是階級不同則美感不同的一個反證。

既然美的問題，因為空間、時間和階級而有種種不同，那麼，任何以為美有普世標準的說法，都是一種站在特定時間、空間和階級本位上的主觀偏見了。美學這個學問起始於希臘時代，興盛於十八世紀。古希臘哲人在晨光暮色裡，沈吟著「為什麼這麼美呢？」的時候，其實他的完整語句應該是「為什麼，希臘這麼美呢？」或者是「為什麼，我們的，希臘這麼美呢？」十八世紀以後歐洲人談美，也可以套用這個句法。更深一層講，談美學的時候，如果沒有把空間、時間、社會階層的因素考慮進去，那就是一種閉門造車的研究。那種研究，是一種典型的文化沙文主義（chauvinism）研究。也即是說：研究者自認其文化是最優秀的，其他文化都是落後的；因此，凡是不合於研究者的文化與美感標準，即是不美的，即是不合於所謂普世美學標準的。這種態度，長時間盤據在西方美學研究的領域中。這種心態下，美學所標舉的科學或者哲學，都是假科學、假哲學，其目的和追求真理沒有關係；其目的只是利用美學的名號，把「非我族類」者，從學術上，歸類到醜陋的族群中去罷了。

美學這個西方學問，傳到中國應有百年了。這個學問，是西方帝國主義擴展時期的一種附庸學問。它的最大歷史價值，就是以西方文化為依歸，建立西方的美感標準，並且以之檢驗全世界的非西方文化。在這種檢驗之下，不少非西方文化，不明就裡的自慚形穢，把西方美感標準作為一面照妖鏡。每日攬鏡自憐，像是一個醜小鴨般的問那面鏡子：「今天有沒有改變一些啊？有沒有漂亮一些啊？會不會變成天鵝啊？」我們又不是古希臘人，又不是十八世紀歐洲人，又不是帝國主義者，何苦抓著西方的主觀偏見，顧盼自憐，邯鄲學步。

後記

至於說，有人發現美學的結構問題，而在其研究之前加上一些說明，例如中國美學、（以示其空間）六朝美學、（以示其時間）說唱美學（以示其社會階級）自然是周到多了。只是，標明空間、時間、階級，並不是美學設計的原意。為什麼不簡單的叫做「藝術思想」呢？美感本來就是各個不同的主觀偏見。主觀偏見不能說是一種科學，但是可以說是一種思想。思想因人而異，其可貴處，也就在那個「異」字上面。講「藝術思想」，也是強調其「異」。表示所講的，只是某個段落、某個區域、某個社會階層的人，對於美和藝術的想法。這裡面，不但合於歷史發展的事實，也多了一點做學問的謙虛味道。我想，這是我不說美學，堅持用「藝術思想」的真正原因。學術是長久事情，想清楚了，就要貫徹始終；哪裡可以人云亦云地趕時髦呢。

美學的陷阱等三篇文字

藝術活動的不同參與層次（1992 5 16）

前一陣子，幾個朋友一起聊天。有人說正在學陶藝，但是缺乏藝術細胞，總是在旁邊看著。又有人說，真正的藝術家多半痛苦，還是站在旁邊看著好。最後話題轉到我的工作上，以為我的工作最好，研究藝術，可以整日與藝術為伍。但是，我算不算是藝術工作者呢？說來說去，似乎大家都參與了藝術活動。然而，對自己的身份不清楚；甚至說到最後，對於是不是參與了藝術活動，也不大肯定了。

這是一個有趣的問題。下面以美術為例，作一個較為學理性的說明。藝術活動的參與者，可以分為三個不同層次。這三個層次，沒有高下之別，只是三種不同角色：一是創作者，二是欣賞者，三是研究者。這三種參與者，可以經由兩種分類，使我們對其角色，有較深度的了解。

首先，創作者分為一類，欣賞者、研究者分為一類。這種分類，是以藝術本身（及其產生時間）作為一條中線。線的一邊，是藝術創作者。他參與藝術品被創造之前的諸般活動，直到藝術品完成的剎那。線的另一邊，為藝術欣賞者與研究者。他們自藝術品完成的剎那開始，參與藝術品創造後的諸般活動。

這種分類，以參與者是否涉及藝術創作為標準。這種分類較為表象，不觸及藝術活動的精神領域。因此，還有第二種分類。

第二種分類，是將創作者、欣賞者歸為一類，將研究者歸為一類。這種分類，以參與者的精神活動為標準。原則上，創造與欣賞，比較偏向感性活動。甚至，創作與欣賞，可以被視為鏡子前面站著的兩個人－創作者在鏡子裡製造幻象，欣賞者從鏡子裡看見幻象。（藝術品，則是那個幻象－鏡子）欣賞藝術品，能夠被喚起美感經驗，是由於欣賞者體驗了創作者的心理狀態。因此，欣賞也被稱為「再創造」。

研究則不同。研究和感性的關係少，而是以理性分析、敘述做為基礎的藝術工作。任何非理性的分析和敘述，都不算是研究；而只是欣賞的文字性延伸罷了。藝術可以接受理性分析與敘述嗎？事實上，藝術絕非純然感性產物。藝術家創作藝術品的關鍵，並不是因為他們特別感性，（常常相當理性，甚至冷淡）而是他們有辦法，在形式上表達出內心之種種。因此，研究者必須將其（形式後面的）種種元素，以理智的方式，還原回來。還原創作者的感性，與還原創作者的理性，是欣賞者與研究著的最大不同。這種不同，是心態取向的不同，也是角度的不同。

在了解藝術活動的不同參與方式後，是創作？是欣賞？還是研究？我們可以更為明晰的選擇參與角色，享受藝術的奧祕了。

美學的陷阱（1993 10 7）

我必須在開始就說，我不大適合談這個題目。因為我並不研究美學。但是，在我的美術考古學教學上，常遇到學生對美學有興趣。而我又不認為他們的興趣，是建立在我所了解的邏輯基礎上。故而以一個外行人的常識性觀點，談談我對美學研究的看法。

美學（Aesthetics）是研究美之性質與法則的學問。但是研究美學的人，卻不一定是藝術家。而美學在大學裡，也主要屬哲學系課程。這種情形並不奇怪。因為，美學雖然發源於古希臘，卻是在十八世紀時，由德國哲學家包姆加敦（Baumgarten）提倡，才成為獨立的學科。

我以為，明白美學是哲學，非常重要。因為學美術或美術史的學生，常常以為美學是美術，或美術史的一部份。這種誤解使學生走了冤枉路。因為他們常用藝術家或歷史家的態度，去處理另外一種學科上的問題。

哲學是解釋現象的學問。自古以來的哲學家們，都希望他們對各種現象的解釋具有普遍性，或者說得到真理。也就是說，放諸四海皆準，並在時間的考驗上也不被淘汰。這樣的哲學家或哲學不多，因為真要有普遍性的話，就接近科學了。大多數的哲學家，只能做到所謂「成一家之言」。也即是在特定的角度或層面上，被人認為言之成理。或者說，得到了部份的真理罷。這已經是不容易的事了。美學既然是哲學，美學的研究特色也是如此。

有的美學家冀望走普遍性的路。因此，他們花了非常多的力量在生理學和心理學的研究上。希望找出美在人類生理及心理上的共通之處。這種美學家，在人類的自我探索上有很大的貢獻。然而不可諱言，他們的研究上有盲點。他們不能解釋為什麼共通的心身基礎上，美在不同文化中有不同的標準。例如：為什麼中國曾經以女人小腳為美，西方曾經以把女人腰勒的喘不過氣為美等等。由於文化差異對美的標準有很大影響，另一些美學家，就對區域性的美學較為有興趣了。也即是說，他們的主要研究不在具普遍性的美學上，而是集中在某種具文化特色的美學上，比方說「中國美學」。

在研究區域特色的 「中國美學」 時，我們當時時注意，莫落入了美學的陷阱之中。這個陷阱便是以為「中國美學」應該是完整而統一的，因此可以在其中任意選取資料，自由發揮，予以歸納統合。這是一般人不注意，而落入陷阱的地方。因為，基本上，「中國美學」既不完整，也不統一。甚至「中國美學」這個名稱是否允當，也是值得深思。

我以為，接觸區域性的「中國美學」時，（已經比所謂普遍美學科學的多）應了解美學研究上的四個要素，那就是時間，類別，區域與階層。這四個要素，將美學研究作了根本性的區分。

首先，談談時間對審美造成的影響。同樣是中國地區，史前時，代山東大汶口文化中的先民，以拔去門牙、枕骨及齒弓變形為美。他們恐怕對漢代趙飛燕的細腰，沒有興趣。同樣地，唐代豐腴的楊玉環，也不能欣賞五代以後的纏足之美。因此，當我們接觸到中國，或者傳統中國（這些名辭）的時候，要注意在不同時間下，中國有不同的美學觀。因為，如果我們承認美受到文化影響，便應承認，文化隨時間而變遷。

接下來，看看藝術類別這個問題。基本上，不同類別的藝術，有不同的美學要求與旨趣。這種歧異，主要是由於媒介和技巧不同使然。當然，文化本身對不同類別的藝術有統合力量。但是，我們不應輕信這種力量。在我們研究先秦美學，六朝美學的時候，是不是該注意從事文學、音樂、舞蹈、美術等等的藝術家們，都有不同的美學觀呢。如果因為材料的取捨有偏差，其研究就失之籠統了。

再來談談區域性。區域對審美造成影響，是一個曖昧的問題。事實上，中國也只是一個權變的地理區域而已。在我們研究中國美學時候，不就是因為發現中國有文化上的特色，而予以單獨研究麼－然而，中國這個區域內的文化現象，也都不相同。廣大中國境內的各別區域，以及城、鄉、少數民族等等，都有不同美學趣味，甚至相反的美學趣味。除非，我們以都會趣味（metropolitan taste）為中國之代表。否則，對於不同區域的美學趣味（local taste）也應該留意。除非，我們以大漢族主義者自居，否則，是不是也不該忽視其他民族的美學趣味呢。

最後，看看社會階層的問題。在同一時間，同一區域，同一藝術項目上，美的問題仍然不統一；這便是社會階層造成的問題。正因為不同階層的美學觀，可能完全不同；對於美的標準，就有所謂官方、民間、鄉土等等的說法。這個問題今日如此，在歷史上亦是如此。社會階層是一個有趣問題，它不大容易全面的掌握。但是，如果注意，研究結果便會更為全面。

上面這四個美學要素，似乎將美學體系都割裂了。但是，我們做美學研究時，卻必需時時對它們留心，以免落入籠統而不周延的陷阱之中。美學是哲學，哲學是解釋之學－解釋則要周延，有不能涵蓋處，便不是好的解釋了。因此，我提出這四個要素，並非要將美學體系分解，而是希望它的結構更嚴密。畢竟，美是非常主觀的事。我們想以客觀的方式去解釋主觀的問題，必需步步為營啊。

美術在藝術中的特殊地位（2012 4 2）

美術在藝術的項目中，有其特殊地位。美術在藝術的領域裡，有佔便宜地方。

一般而言，我們認為音樂在藝術領域中地位最高。原因是聽覺所喚起的美感經驗最為抽象，但是又最為深刻。（我們看畫、看戲劇、看舞蹈、欣賞文學都不容易像聽音樂一樣出神，而接近恍惚狀態）而在眼耳鼻舌身五官所領導的色聲香味觸五種感覺中，古典理論認為，聽覺是最高級的感官，而觸覺是最低級的感官；因為觸覺所引起的快感接近性慾。而性慾與性慾延伸出的各種感覺，太過於原始而普遍，難以說是一種藝術。當然，這種說法在今天開放的社會中，也見仁見智。

美術和其他藝術的差別，在於美術是一種空間的藝術。美術是造形藝術，它是人在空間中做出的一個形狀。無論這個形狀屬於二維還是三維，(平面或立體）無論這個形狀有沒有顏色，它都在真實空間中，佔有一個位置－它非常真實的，把宇宙空間瓜分了一小塊出來。而理論上，一旦它佔有這塊空間，便永久的佔有，永久的存在。它和一塊岩石一樣，可能非常長久的存在下去；即便作者早已飛灰煙滅。

事實上，因為各種自然和人為的因素，美術品和宇宙中任何物質實體一樣，都會遭到破壞而無法永久存在。但是，它也和宇宙中任何存在的實體一樣，具有永久存在的可能性。(雖然那基本是妄想）

至於其他藝術，基本上屬於時間的藝術；也即是說，它不佔有空間；而其表現，隨著時間的流逝而流逝。音樂、舞蹈、戲劇都是如此，所以它們又稱為表演藝術 performance art。它們在時間中展現藝術，而不能在空間裡留下位置。

文學可以傳之久遠。但是唯物的講，它在空間佔有位置的是書本，而不是文學。至於現今拜科技之賜，performance art 也可以藉著錄音錄像而得以流傳，但那總是電子符號，而非原始作品。

佔有空間這件事情太重要了，佔有空間，便得以在歷史上佔有時間。換句話說，藝術和其他任何人類的活動一樣，希望能夠保存長久，廣為人知。表演藝術結束，藝術便結束；下一次表演不是這一次表演；這一次，沒有留下存在的記錄。這個差別，即是美術和其他藝術的最大差別。

因此，美術在藝術中最佔便宜。它有雙重的意義和價值；它既是一種藝術的表現，也是重要的歷史史料－是人類文明活動留存下來的具體證據。

藝術的原始、死亡與其他

藝術的原始（1993 9 24）

藝術是怎麼出現的，是一個很老的問題。依稀記得以前讀書，說藝術來源於勞動、來源於宗教等等。總是覺得說法萬千，但是在歷史辯證上缺少根據。

藝術源於勞動，則表示藝術出現晚於勞動；藝術源於宗教，則表示藝術出現晚於宗教。這些說法或許言之成理，但是都不合於歷史的發展事實。藝術的出現時間，比一般人想像得要早很多。以中國為例，比較早的一件著名藝術品（裝飾品）發現於原統稱河套文化的水洞溝文化－1963 年出土於寧夏靈武，駝鳥蛋皮磨製成的圓形穿孔飾物。見〈水洞溝舊石器時代遺址的新發現〉《古脊椎動物與古人類》1964 / 8 卷 / 1 期。

人類的各種活動，都包裹在文化這個怪物之中；讓人墮入五里霧，不知其所以。事實上，如果我們承認人是一種動物；從動物的角度來看問題，很多事情會簡單一些。

藝術是人類的一種活動，而人類有很多活動。人類的各種活動，多少都可以在動物世界裡找出根源。舉例說，人類有戰爭活動，動物世界裡，同類動物間的相互鬥爭，也是戰爭行為。人類有政治活動，動物為了獲取領袖權力，在同一群體中爭奪身分地位，也是政治行為。人類有經濟活動，動物沒有這樣的交換行為，但是，牠們忙於吃食圖其溫飽；其動機和意義，與人類經濟行為也是相同。那麼，人類的藝術活動，源於動物的什麼行為呢？這裡要先了解，動物到底有什麼基本行為。

動物的基本行為，只有兩項，曰求偶與覓食。就是吃東西以維持個體生命，性行為以維持群體生命。

> 求偶與覓食是西方現代生物學講法，中國雖為禮義之邦，卻有「食色性也」說法（《孟子／告子上》）；兩千多年前，這個說法，對於人類和動物之間的準確連結，簡直到了驚人地步。

這兩種活動，是絕大部分動物終生的主要活動。人當然因為文化深厚，而將種種行為包裹起來；事實上仔細分析，人的所有活動，也都包含有求偶與覓食兩種動機；以及以這兩種動機為根本的延伸活動。只是經過層層包裝，我們已經不容易見到，或者想到，求偶與覓食如何深植在我們的思想和行為之中。

藝術的原始，應該來自於求偶行為。因為在自然界，我們可以發現動物在求偶時，有一些不平常的表現。例如：很多動物在求偶時候，展示最好的顏色與形狀吸引異性；（孔雀開屏最為典型）很多動物在求偶時候，特別跳躍和擺動身體吸引異性；（鳥和魚最為明顯）

很多動物在求偶時候，發出好聽聲音以吸引異性。（鳥和昆蟲最為人知）人類所有的美術、舞蹈、音樂等等藝術項目，都可以在動物世界找到類似行為－其行為都和求偶有關。

動物界，看不見文學和戲劇兩類藝術。這兩類藝術，即便在人類身上，也需要強大的記憶，與因之而產生的反省思維才能產生。因此，在只有基本邏輯思維的動物身上，不能發現。

當然，人類因為記憶力強大，上述的求偶動作，不像動物一般，僅只是化學反應下的反射動作。人類把這些求偶經驗，累積起來－把最美的顏色、形狀、動作、聲音傳承下去。久而久之，這種源於求偶，而獨立於求偶之外的活動，就產生了。這應該是藝術出現的最合於科學的解釋。

藝術的死亡－談二十世紀美術（1994 6 25）

藝術是一種有意思的活動。對一般人言，它是修心養性，目曠神怡的輕鬆事。對藝術家們而言，它卻如命運般的沈重，令人激盪、痛苦、與無奈。

無論在中國或西方，藝術最早的意義都是技術，或技巧。也就是說，它是一種以技術為本，表現出非技術性精神境界的活動。這種精神活動是畫家與畫工、音樂家與樂師的差別。也是令藝術家將藝術視為終身無悔追求的基本原動力。

然而，藝術家希望表現出他的才情與心血，必須借助工具，並且熟練的使用他的工具。工具，便是他的媒界（畫具、樂器、文字等等）與掌握媒界的各種繁複技術。沒有技術的藝術家，就是只有感情，而無處宣洩的自命藝術家。所謂「每一個人都有感情，卻不是每一個人都是詩人」的道理，十分容易了解。因此，技術與才情，是藝術的物質面與精神面。沒有才情，不是好藝術家。沒有技術，根本不是藝術家。

二十世紀，是民主以及科學的時代，也是人類歷史上的巨變時代。隨著社會民主與科學不斷進展與深化，所謂 「德先生與塞先生」,（democracy and science）引發了人類文化中，各個層面的衝擊與反思。藝術為人類文化中之上層構築，自然首當其衝的接受洗禮。導致西方藝術界，一世紀來的多采與混亂。民主，激發了藝術家對個人風格的強調。科學，卻引來日益多樣性的技術，令藝術家無比興奮與徬徨。其中，對民主與科學最具深度反思的，是所謂觀念性藝術。（conceptual art）它的出現，否定了藝術中才情與技術，精神與物質的相輔相成關係。

所謂觀念性藝術，是指強調藝術精神面，而忽視物質面的藝術。也即是重視觀念突破與發揮，而不重視技術甚至媒界的藝術。它對德塞二位先生的反應，相當極端。它接受民主觀念，並作極端的個人主義表現。但是它拒絕科學，因為它拒絕了與科學幾乎同義的技術，而作反科學的，純思維的，個人精神性表現。觀念性藝術，便是這樣一種，對民主與科學有著混合式反應的藝術。

一個所謂觀念性藝術家，基本上不受技術的限制。他所使用的一切技術，（素材、媒界等等）都是為了表現他的個人思維，而不是他熟練的某種技術。在這種情況下，熟練其技術，與因技術熟練而產生的非技術性精神境界－也就是傳統觀念中，藝術與藝術家的形成過程消失了。藝術家不再通過對物質面（技術）的鍛鍊，而達精神面（藝術）的完美，而是直接與其內在精神溝通。他已經不再是一個藝術家，而是哲學家了。我以為這是現代生活快速運作的結果。每一個人，都趕時間與吃速食；藝術家，也同樣對創作過程的長久感到不耐。

話又說回來，藝術家與哲學家畢竟有差異。其差異，在他們使用的語言不同。哲學家使用思想，而藝術家使用形象。思想與形象不同是顯然的。思想只在我們腦中形成意象或想象，而形象卻實在的在我們這個空間中佔有地位。當哲學與藝術無限制交集時候，擴展了哲學的空間，卻宣布了藝術的死亡。

我舉個例子，詳細說明這個現象：當藝術家不再區分思想與形象，而把油漆潑在牆上、作「自囚」表演、或者狂舞街頭的時候，他們不但在作一種無技術性的純思維表現，也發表了「人人都是藝術家，因為人人都有思維」這個宣言。這種表現與宣言，十分可疑。因為，思想本身絕對不是藝術。正如「每一個人都有感情，卻不是每一個人都是詩人」的道理一般。在思想表現便是藝術表現的宣言下，藝術家固然有了一條新的（簡單的）路線。卻也給了自命藝術家們借口，去自欺欺人。藝術這個專業行業消失了。因為人人都可說他是藝術家，辯稱他的所作所為，都是一種藝術表現。換句話說，當不具技術的藝術被稱為藝術時，我們對藝術作品無法批判，我們對藝術家的真誠無法批判，我們也分不清楚真正藝術家與欺世盜名者之間的差別。因此我說，藝術家永遠不死，只是藝術死了。

我把藝術視為社會的象徵符號。二十世紀的這個符號，可真是說了很多話。

畫家與演員之交集（1996 5 4）

有一次上課時候，同學問了個有趣的問題。她說，畫家是不是像演員。我以為這個問題好。因為，我們很少把繪畫和戲劇相提並論。這個問題，有助我們了解藝術家角色性質。

我想分幾方面說。第一，就藝術家所掌握的表現媒介（media）而言。畫家不像演員，畫家像導演。導演指揮演員，畫家揮動畫筆。第二。就表現（performance）而言，畫家像演員。兩者都有直接的情緒性表現。但是雖像演員，卻有與演員不同的要求。

當演員演出的時候，導演一定希望演員演什麼像什麼。希望演員能夠把不同角色都詮釋得維妙維肖。這樣便是導演心目中的好演員－因為他能夠把導演的思想表達出來。但是，一名畫家，如果僅僅能夠把各種技術純熟運用，我們卻將之視為畫匠。

這個道理其實也簡單。因為我們對好畫家的要求，是要他同時作演員與導演兩種角色。既要演員的技術，又要導演的思想。若是只有導演般的思想，而無手上技術，則根本不是畫家。若是只有演員般的技術，而無思想，則被稱為「匠」。當然，我們這樣說，一點沒有看低演員意思。因為，戲劇是一種集體藝術，繪畫是一種個人藝術。表現的方式自然不盡相同。

然而，有一種演員，其性格上倒是十分接近畫家。那就是所謂性格演員。性格演員戲路窄，不能作全面性的表演。他們只能夠演出特定角色，而對該特定角色揣摹的入木三分。他們所扮演的角色性格，多與他們原本性格相近。這樣一來，所謂思想性的導演和技術性的演員，界線不清楚了。導演必須讓演員去自由發揮。因為台上台下，性格演員都是演的他自己，或者說自我。

總之，畫家像是導演與演員的結合。他必須有思想同時有技巧。根本問題，還是在於前面說的，戲劇是一種集體藝術，而繪畫是一種個人藝術。

佛教無藝術論（2006 10 18）

今天，我們常常說佛教藝術這個名詞。事實上，佛教沒有藝術。為什麼呢？因為佛教和藝術的目的是相對的；佛教無論在觀念上、修行過程上，都與藝術精神背道而馳。

一般說法，佛教在中國分為八大宗派。無論任何宗派，無論任何法旨，其目的都是讓人平靜；什麼平靜呢？就是心平靜；什麼是心平靜呢？就是情緒平靜。

佛教所說的心不是心臟。（所謂肉團心）心是有思維作用的器官，也即是腦。然而心雖然可以思維，而其最大特徵，是會呈現平靜與煩惱的起伏現象。它是腦的哪一個部門呢？它是腦的哪一種作用呢？佛教所說的心，即是神經科學所謂的腦部邊緣系統；特別是杏仁核，它的作用即是情緒變化。佛教的修行，基本上，即是控制情緒的修煉。

這是佛教要做的事，可是藝術呢？當然我們不好講藝術讓人不平靜，但是事實上，藝術確實是讓人情緒起伏的活動。藝術讓人的情緒不平靜，在藝術的範疇裡，有一個特別的稱謂，叫做感動。若是藝術不感動人，又如何能稱為藝術呢？感動就是心動，心動就是情緒起伏；就是喜怒哀樂等情緒，激動起來的意思。例如說，看一部喜劇電影；可是它一點都不好笑，它沒有打動你的心，讓你的情緒起伏；那是個失敗的喜劇，失敗的藝術。同樣的，看了一部悲劇電影，結果不覺得可悲；反而因為演員的做作演出，令人發笑；它也沒有打動你的心，讓你的情緒起伏。那個悲劇也失敗了。

因此，心動與心不動，正是藝術與佛教所各自追求的相反境界。所以，任何藝術都有其理論與思想；但是，佛教絕對不會有佛教藝術理論或佛教藝術思想。所謂的佛教藝術，只是佛教儀式中的各種膜拜場所，（寺廟）膜拜對象，（佛像）與圖解經典。（圖解－即是所謂變相）它們之所以被製作出來，和一般藝術的製作動機是不一樣的。

正統佛教寺院，不准養小動物。因為小動物雖然可愛，但是馴養過程的愛心與快樂，終將導致其死亡時的悲傷與痛苦。其心境情緒的起伏，出家人都應當避免；更何況擾人心緒的藝術活動了。

這是我說佛教沒有藝術的一種道理。

藝術的定義諸問題

藝術和美術的定義與其分類（1995 11 2）

藝術 art 和美術 fine art 的分別在哪裡，是很多人不清楚的事情。而很多美術本科系的學生，竟然也不清楚，就令人詫異了；也許從事一個行業和了解一個行業，並不是一件事罷。弄清楚藝術和美術，便得先了解藝術的定義和其分類。

藝術有兩個定義：一是藝術專業上的定義，二是文化上約定俗成的定義。先說第一個，藝術是甚麼呢？藝術是很多藝術項目的總稱。換句話說，藝術是個集合名詞；它包括了音樂、舞蹈、戲劇、美術等等項目。美術原來只是藝術的一個項目而已；美術的範圍小，藝術的範圍大。

文學基本上也算是藝術，但是它的表現媒介，顯然和其他項目不同。中文說「文藝」可見性質相近，但又非一事。一般而言，文學近於戲劇－偏於表現思想；音樂、美術、舞蹈－偏向傳達美感經驗。不過這也是泛泛的說法，近代藝術，常常有跨越領域而勇於嘗試的表現。

另外，藝術還有一個廣義的文化定義。藝術是什麼呢？藝術並沒有特定範疇，而是所有文化（或者文明）活動的一個層次；這個層次是一個很高的層次。舉例說，一個政治家的政治手腕非常高明，我們說他真是懂得政治藝術。一個軍事將領百戰百勝，我們說他真是懂得軍事藝術。以此類推，我們發現藝術可以形容各行各業的高明境界，藝術並不是一個特定活動。至於什麼境界，才能夠稱之為藝術，而不到這個境界，又稱之為什麼呢？不到這個境界，稱為技術；超過技術層次，就稱為藝術。原來藝術是和技術相對的一個名詞；凡是運用技術成熟而出神入化，或者更高明地隱藏技術於無形者，都可以恭維他是藝術大師呢。

藝術有兩種定義，而美術是藝術第一種定義下的一個項目。那麼美術能不能具體的再分析其定義和分類呢？美術也有它自己的定義；它又叫做視覺藝術，或者造形藝術。從這兩個美術的同義辭上，可以顯現出美術的定義。視覺藝術的意思是：美術是一種看得見的藝術，它由視覺傳達其美感。視覺這個框架，就把藝術項目中的文學和音樂排除在外了。因為文學看不見，文學通過文字在心（腦）中產生意念，而非產生視覺上的快感。音樂也看不見，它直接訴諸聽覺，而產生快感。

再說造形藝術的意思，造形即是創造形狀。美術不但要看得見，它還要是人創造出來的一種形狀。山水風景看起來很美麗，但是山水風景不是人創造的形狀，因此它不是美術。同樣的，戲劇和舞蹈也因為造形這個定義框架，而被排除出去了。戲劇和舞蹈，是以人的身體（肢體語言）傳達概念－而身體本身並不是一個人創造出來的形狀。這樣看來，美術在視覺和造形－看得見和經由人做出來這兩個前提把關下，它的定義是很清楚的。

自然美，不是藝術。凡藝術必然是人工美，必然是人所創造的美。（自然美，不是藝術上自然主義的意思－而是指自然界本有的東西。人工美，也不是和自然主義相對的那些主義－而是指人所做出的東西）藝術是人的藝術，離開人，沒有藝術。

傳統的分類上，屬於美術範疇的只有三個項目，那就是雕刻，繪畫和建築。這三個項目完全合於前述的兩個前提：只是雕刻和建築是立體的、看得見的、人做出來的形狀；而繪畫是平面的、看得見的、人做出來的形狀。

視覺和造形，立體和平面，美術的定義與範疇，因此嚴格而完整。

在傳統的定義之下，今天美術的內涵已經不只是雕刻、繪畫和建築三項了。書法、攝影、篆刻、陶器、銅器、玉器、剪紙、海報...都合於視覺和造形、立體和平面的要求，而使得美術項目越發豐富起來。

真正的藝術是什麼（2004 10 1）

什麼是真正的藝術（true art）有點難定義。可以從主、客觀兩方面講。

主觀上，真正的藝術必須由藝術家的熱誠所完成。多數藝術家不具備創造力，作品沒有生命；因為藝術是他們的謀生工具，而不是生命。只有很少數的藝術家，才對於藝術有狂熱，這種熱情是真正藝術的基本養分。

客觀上說，很顯然的，只有經過歷史沉澱，仍然被大家認可、保存的藝術，才是真正的藝術。那就不只是藝術家存在的那個空間問題，而是時間問題。在許多有熱情的藝術家努力後，到底什麼藝術經得起時間考驗，什麼藝術可以跨過時空，而在另一時空中與欣賞者共鳴？這個問題充滿了不確定因素。基本上，藝術是社會的反應。社會如何發展，我們很難以預知；因此也就很難預知那個未知時空中，欣賞者的好惡心理。在這一點上，一個熱情的藝術家，不如一個熱情的科學家幸運。

研究與創作，哪個有前途（2004 10 18）

研究和創作是兩件事情，雖然它們都是藝術活動。研究有兩條路走。其一，可以成為學者教授，在社會上有一定地位；也有相當經濟收穫，但是距離大利較遠。其二，研究藝術可以成為藝術商人。古董商畫商，總是要具備一點藝術知識。藝術知識豐富，甚至有研究的商人，當然比知識少的商人賺錢多。這是研究藝術可以獲大利的路子。

再說創作，創作也有兩條路。其一，搞創作指的是靠藝術維生。這條路有點奢談創作，因為基本上走了工匠的路。這條路並不必輕視，因為有很多人靠這種工作生活。同時，這種藝術家、作品以及欣賞者，佔有藝術市場中最大比例。一個社會的藝術活動，主要靠他們支撐。商業藝術當然可以賺到錢，要想獲大利，卻也不是那麼容易。其二，立志真正做藝術家，不談成敗，一意孤行。這是真正走創作的路；期間的主客觀因素，複雜之極。如果成功，名利雙收，有大名大利。如果不成功，也算是依照自己的方式過了一生。

美是主觀的嗎（2004 10 20）

美是主觀的，每個人都有自己對美的看法和定義。美不是一個客觀的東西，不是一個客觀的存在（being)。美是人類對於一個客觀存在的主觀想法；這種想法不出於理智思考，而出於直覺共鳴。這種共鳴人人可以不同；但是基本上，同一時間空間裡，這種共鳴常常具有共同性。即是說，可能很多人都對於某件東西產生共鳴。

這種情況下，我們常常說「大家都說這件東西很美」,「大家都說這件東西不美」，好像因為很多人都對於某件東西有共鳴，所以美是很客觀的一個標準。事實上，這個「大家」並不能包括所有人。對於美或者不美，總是有人和「大家」持相反的意見。

美是很主觀的想法，來自於物我之間的直覺共鳴。如果「大家」對於美有共識，那也僅是「大家」在人數上佔了優勢。以為「大家」認為美的東西，就是客觀上的美－那完全是一種錯覺，一種強勢的，主觀的錯覺。

藝術理論與實際操作何者重要（2005 10 3）

藝術有形式和內容兩部分。可以從這裡談這個問題。

藝術的操作就是技術，技術是藝術的基本。藝術是技術的延伸；沒有技術，就沒有藝術。但是，技術不等於藝術。只有技術的人，我們稱為工匠，而不稱為藝術家。因為，技術只提供了我們形式上的基本技巧，而不能表達內容部分。

理論是思想。思想可以提供我們關於藝術內容的部分，可以讓藝術作有深度的表達。工匠和藝術家的差別，不是技巧的差別，是內容的差別。表達思想（理論）是藝術的目的。

因此，藝術以技術（實際）始，以思想（理論）終。實際操作和理論探討是個過程，不應該有所偏廢。

藝術的 CPR 選擇理論

（完稿於 1994年8月20日）

藝術是一種文化活動，它涉及的層面很廣。任何人，都可以依己之所好悠遊於藝術世界之中。藝術的層面廣，與它的功能全面有關。藝術的活動，可以粗分創作，欣賞與研究三部份。每一部份之間的重要性，難分軒輊。沒有創作者，根本沒有藝術。沒有欣賞者，藝術沒有了創作目的。沒有研究者，關於藝術創作與欣賞種種知識不得被發現。

藝術活動沒有高下之分，且都能帶給人非常的快樂。但是，從事創作者，確實較欣賞與研究者不同。他們除了創作後享有甘美果實外，還要在創作前備嚐衝擊與挫折。因此，我總以為，當一個人從事藝術創作時，要先有心理上的衡量和準備。

藝術創作者，除了要將藝術視為命運，也要將藝術視為職業。這種話說來痛心，卻是實情。藝術最像宗教，宗教行為中的信徒受到宗教感染，正如藝術活動中的欣賞者受到藝術感染一般。宗教活動裡的神職人員傳播宗教，正如藝術家傳播其藝術理想一般。但是，宗教活動者的定位清楚，他們只有信徒與神職人員兩種。藝術活動卻不同，藝術家有宗教家的熱烈情懷，卻沒有宗教家的自律。他們不喜將藝術視為職業，總以為一種固定的、嚴肅的形式會約束自己心靈。沒想到沒有籓籬的自由，卻帶來更大的痛苦。如果藝術家肯將藝術視為職業，就可以進行下面的理性探討了。

藝術是一種職業，如同社會上任何職業一樣，都是因為不斷努力，進而由職業而成為事業。所以，藝術工作者，應該先了解自己對藝術到底有多少企圖心。這種了解，決定了事業發展的目標與方法。

當然，人的企圖心常常因為成就而調整，不同階段中，企圖心也會隨之改變。要求一個藝術家，清楚分析自己並不容易。因此，這裡我提供一個藝術家的事業藍圖－我稱為 CPR 藍圖。在這個藍圖中，有不同的理想與定位。相信對藝術家們了解自我與安排事業，都有助益。

藝術是創造性強的活動，所謂創造就是創新－不只是創造出藝術品，而且要求創造出新的藝術品。雖然有的藝術，因為形式或流派原因，不強調創新。但是，創新永遠是任何藝術生命的核心所在。創新並不容易，創新須要才氣與勇氣。甚至我們可以說，創新是一個藝術家事業風險之所在，也是藝術家衡量事業前途的重要參數。明白這個道理，上面說的 CPR 藍圖就展開了。

所謂 CPR 藍圖，是一種以創新作為骨架的藍圖。在其中，藝術家可以有三種不同選擇－古典、流行與前衛。（Classic-Popular-Radical）

我說的 CPR，就是這三個英文字的開頭字母。

第一。C－古典。選擇古典風格的藝術家，可以說和創新這件事沒有什麼關係。他們選擇了一種別人早已創造出來，而為大家長時間接受的藝術風格。以這種方式從事藝術者，不會接觸到藝術的核心，也不會在藝術史上留下偉大名聲。但是，他們卻最能享受藝術，並且，與其他愛好者一同悠遊於藝術活動之中。藝術對他們而言，是優雅的生活方式。這是一種幸福的藝術事業，一種無風險也無大收益的事業。

第二。P－流行。選擇流行風格的藝術家，雖然沒有創新，卻緊緊跟在創新者的身邊。並希望借由這種跟隨，獲致相當的利益。他們看似相當接近藝術核心，但是，卻是藝術事業的投機者。通常這種藝術家人數最多，而且，多能從藝術中獲得現實報酬。藝術對他們而言，純然是一種謀生手法。這是一種聰明的藝術事業，一種小風險大收益的可觀投資事業。

第三。R－前衛。選擇前衛的藝術家們，是勇於創新的藝術家，也是準備受爭議的藝術家。在論藝術事業的問題上，這種選擇的可議處，在於其事業中充滿未知、充滿變數。他們可能重擊藝術，造成震盪；也可能與之擦身而過，了無聲息。他們可能建立新的藝術歷史，也可能根本不被承認的終此一生。藝術對他們而言，非僅只是職業、事業，亦是難以擺脫的猛暴命運。這是一種危險的藝術事業，一種以生命作風險，但是回收未可知曉的博命事業。

藝術是一種職業，與任何人的職業並無不同。所不同者，藝術家們懷有一種創作的企圖心。選擇這個職業的藝術家們，最後都得依其企圖心之旺盛否，做上面所說的那個 CPR 選擇。選擇既定，藝術家們便開始自此而分道楊鑣。藝術家的事業與命運，也就如此不同的展開了。

藝術家的性情與事業
—張溥二朱與梵塞氏舉例

（完稿於 1994年6月2日）

去年夏季，故宮博物院開了一次南張北溥討論會。當時文化大學剛成立史研所中國美術史組，由我主持；便帶了學生去參加。開會其間，我說了一些話。後來想想，似乎不應該當那麼多人說，可能有損別人顏面。然而，我所說的，卻又都是肺腑之言。因此回家後，便把話題稍作整理。現在過去一年，決定把它寫出來。

記得當時，我提出的話題是：「張大千較偉大，還是溥心畬較偉大」。當然，我的意思，絕不是指二人藝術成就而言。因為，二人都是中國近代畫史上，舉足輕重，甚至必然名留千古的大畫家。我主要是談，性情與藝術成就間，是不是有一種相對關係的問題。

張大千與溥心畬在藝術上，很難作比較。因為，二人的繪畫風格距離很大。也即是說，很難有相同標準去品評二人作品。但是他們兩個人的性情，卻可以比較，並且有比較上的價值。

大千居士的為人極豪放，人盡皆知。他不是政治家，但是他的政治關係高層而深入，影響力之大，藝術界無人能及。他不是生意人，但是他作品價格之高，與造成高畫價的種種動作，相信許多生意人亦自歎弗如。他的心理狀態，我以為，他請父親刻的「貧無立錐，富可敵國」一方印，說得明白。他是一名極為入世，並且深通世法的藝術家。

但是溥二爺身段不同。他最令人津津樂道的，是出門不帶錢，並且常找不到路回家。他的文人氣味非常濃厚，內斂而涵蓄。雖然我們不能說，他的生活非常貧困，但是在形象上，他絕對是不入世，不食人間煙火的藝術家典型。從他自號「西山逸士」，與父親為他刻的「舊王孫」印文中，都可以看見一種與大千居士迥然不同的藝術家性情。以及，所反應出的不同藝術事業。

雖然，我的比喻並不見得非常恰當。但是每當看見張大千與溥心畬的不同，我就會想到，石濤八大與梵谷塞尚。這六個大畫家，正好可以分成三組。這三組：現代、古代、西方的偉大畫家有共通性。每一組畫家，都是同時代的，有大成就的，但是命運不同的畫家。我總是將張大千的豪氣，石濤的迎聖駕，塞尚的現代繪畫之父名聲，想到一起。也總是將溥二爺的不會回家，八大的瘋狂、梵谷的割耳朵想到一起。我以為，這六個人，三組例子，無論是不是所比非類，都會讓人聯想到藝術家性情與事業間的有趣關係。六個人都是偉大藝術家，但是其中三個，巧妙的調和了理想與現實問題。另外三個則否。

相信很多人認為，藝術家性情與事業之間，是一種不必討論的必然關係。外放的藝術家，有較好的現世生活，而內斂的藝術家，有較壞的現世生活。所以張大千、石濤與塞尚過好日子；溥心畬、八大與梵谷過壞日子。我不以為然。我發現，理想與現實的不協調，固然造成藝術家痛苦。而將藝術家與痛苦、悲慘畫上等號的奇異社會觀念，更是藝術家的痛苦之源。它像一道符咒般，代代師徒相傳，灌入藝術家腦裡。這種觀念造成的最大影響，是藝術家們絕少敢與它公然作對。因為一個幸福快樂，享有金錢與現世名聲的藝術家，實在不合我們觀念中藝術家的偉大形象。

這種觀念著實可怕。在中國，哪一個藝術家不熟悉韓愈的窮困潦倒，和他文窮而後工的說法。又有哪一個藝術家對於蘇東坡官貶黃州，不給予無限的同情，與羨慕眼神呢。一點不錯，藝術家們對蘇東坡的痛苦十分羨慕。他們對於窮困與悲慘，有一種近乎自虐的神聖情懷；並以為，快樂幸福乃人生之恥。因為，他們的老師們，一代代地將痛苦視為偶像膜拜，並將這個偶像，植入年輕藝術家心中。

正因為有這樣一個想法，我提出了「張大千較偉大，還是溥心畬較偉大」看似荒唐的問題。因為我相信，除了高明的藝術修養之外，張大千、石濤與塞尚，都一定有一段艱難的心路歷程。他們的突破，都不只是藝術上的，而是對文化以及社會模式的成功反抗。他們跳出了精神與物質間的矛盾，調和了理想與現實。既出世又入世，從心所欲，小大由之，他們才是真正的大師。

最後，我很希望對年輕藝術家們說：決定藝術家生活方式的，不是宿命觀念，而是能力。當我們看見張大千、石濤與塞尚，同時掌握藝術成就與現世成就時，不要以命運好壞，作為一種解釋及遁辭。而要承認，他們的能力遠在我等之上。既然是能力問題而無關命運，請本著「天行健，君子以自強不息」精神，努力奮鬥。不要為了作一個藝術家，而只過半個人生罷。

關於插花這種藝術

（完稿於 2005年9月29日）

有一次，插花學會請我去演講。講的題目，和插花並沒有關係。後來，對於這種社會上極普遍，但是我少接觸的藝術，倒是仔細地想了一些問題。

記憶無誤的話，應該是 1993，年應台北市插花學會會長徐佳禧女士邀請演講。

藝術的類別，以感官方式區分。插花這種藝術，屬與美術之一種。它是可以看見，由人創造形狀的藝術－合於美術要求的視覺、造形兩個定義。插花屬於立體造形藝術，它和雕塑有很類似的地方。講得更細緻一點，它有雕的部分，也有塑的部分：雕是把一個大形狀逐漸減少，得出一個小形狀。（木、石最為典型）而塑是把小形狀合併之，得出一個大形狀。（黏土最為典型）

插花呢？它把基本花材經過修剪，化大為小。同時，它又把各種花材，絈合在一起，化小為大；自然和雕塑有共同點。我認為，喜歡插花的人，對這方面去進行了解，可能產生觸類旁通之效；而對插花

這門藝術更有心得。(也就是多看看雕塑，多看看雕塑理論的書籍)

插花除了和雕塑接近之外，它還有一個非常獨特的性質，那就是插花的作品不能維持長久。這一點在美術上，是極不平常的。美術與其他藝術的不同，除了使用不同感官外。(例如美術用眼睛，音樂用耳朵，廚藝用舌頭等等）美術可以在空間裡，佔有實際的位置的－只要作品一旦完成，便將原有的宇宙空間，挖去一部份，佔為已有。（無論宇宙多麼廣大，一件作品多麼微小）而這一部分，若是不遭到人為的破壞，可以存在很久；甚至跨越歷史上好多世代。因此，美術是長時間佔有空間的藝術。而其他藝術（音樂、舞蹈、戲劇等）卻只能短時間的佔有時間，(一般而言，數分鐘至數小時而已）而完全不能在空間裡保存。

新式保存表演藝術的方法，例如錄影錄音，只是保存了電子符號，並不是保存了作品本身。因為作品本身，並不存在於流轉的空間之中，故根本無法保存。

但是，插花這種美術，卻因為花朵本身的生命有限，在創作完成不久之後，便失去形狀，而失去視覺審美價值，而被丟棄了。這種特性，在傳統美術項目裡面真是獨樹一幟，而令人產生哀傷感覺。在美術的古典項目定義之外，(繪畫、雕刻、建築）插花真是一種浪漫而傷感的雕塑啊。

插花被嚴肅的視為藝術（美術）之一種，並沒有很長時間。這和它不能長久佔有空間很有關係。事實上，現今社會上流行的沙雕、冰雕，也都有這種特性。

話說莊奴—談流行音樂的整理
（完稿於 2016年10月12日）

台灣大詞人莊奴先生，於 2016 年 10 月 11 日，逝世於重慶醫科大學附屬第一醫院，享壽九十五歲。莊奴出生於北京，本名王景曦；抗戰時期，曾易名黃河以為掩護，並在重慶受軍事訓練三個月。對重慶別有感情。雖然在台多年，自 1992 年始，經常往來台灣與重慶間。2012 年，定居重慶璧山；同年，重慶市授予先生「榮譽市民」頭銜。莊奴與重慶的不解緣，讓他晚年作了 70 多首歌詞，描寫重慶的地理與人文境況。

莊奴是個多才多藝的藝術家。眾多才藝中，以為流行音樂填詞最為人知。作為一個詞人，其貢獻與地位是不容置疑的。（一生共作詞 3000 首，流行於兩岸）但是，詞人所處的那個行業－流行音樂界，卻沒有受到社會的應有重視。這個問題，我想在莊奴去世時候談一談。也算是應《博覽群書》之邀，寫幾句紀念他的話罷。

流行音樂的歷史地位

流行音樂，相對于于古典音樂。這個觀念，類似民間音樂相對於廟堂音樂，卻又有點不同。流行與古典，是時間上的分別－流行是當代的，古典是過去的；而民間與廟堂，是空間上的分別－民間是庶眾的，廟堂是官方的。事實上，這兩種分別也可以合而為一。因為，流行、當代與民間，總是站在一邊，趨於前衛。古典、過去與官方總是站在另外一邊，趨於保守。這個情況，很像一隻老牛駕車。老牛要往前跑，車伕則時時予以節制。其節制結果，便是社會對兩種音樂的不同評價。前者為大眾音樂，品味不高，流於商業化；後者為小眾音樂，品味高尚，流於學術化。關於這種評價，只要看看音樂科系的課程，便可明白－流行音樂是不見諸正式大學課程的。（也即是說，所有的文化活動－包括音樂，若要進入官方廟堂，必先通過學術殿堂）

上述情況，並非今日所獨有，而是古往今來之普遍現象。兩千五百年前，孔老夫子就說過「惡鄭聲之亂雅樂」，他也採用了二分法對待音樂；討厭鄭聲，喜歡（官方認定的）雅樂。原因是「鄭聲淫」。「淫」是什麼意思呢？我認為是過度快速的意思－鄭聲應該是節奏比較快的音樂。雅樂節奏緩慢，令人安靜；鄭聲節奏快速，令人興奮。（音樂節奏，慢於或者快於心跳，會產生安靜或者興奮之共鳴作用）看起來，鄭聲是一種不夠嚴肅的民間流行音樂。在孔子禮樂教化的藝術政策下，音樂必須負起一些社會安定作用。如果一種音樂，讓老百姓都興奮（情緒不安定）起來，大概不是封建君主之所樂見。

換個角度思考，鄭聲如果可以和雅樂相提並論，足以讓孔子「惡」之，它必定是相當的受歡迎。因此，孔子對於官方音樂（雅樂）以外的音樂，終究不能輕忽之；他收集了民間歌謠，經過刪減，整理為《詩經》三百篇。這些可以吟唱的民間歌謠，得以因此流傳千古；雅樂麼，反倒奇妙地失傳了。《詩經》出現，證明流行的民間歌謠，可以轉化為古典的官方音樂。今天，《詩經》（雖然失去吟唱調式）不是中國最雅馴的經典歌唱文學麼。自孔子整理《詩經》後，歷代都有「採風」活動－整理民間流行藝術，納入官方傳承系統。

事實上，攤開藝術史來看罷，藝術哪裡有什麼民間、官方的出身問題呢。藝術留存的唯一原則，便是能夠感動人心與否。雖然，我們不能說今日的流行音樂，便是明日的古典音樂。但是（歷代）好的流行音樂，都有流傳下去的機會與管道。當然，這種機會與管道，需要有心人士經營。孔子與《詩經》的例子，是一個好例子。

百年來的流行音樂

中國百年來的第一巨大變動，莫過於推翻帝制施行共和。外在上，皇帝為統治者的局面消失；內在上，儒家為思想獨尊的局面消退。不可諱言，共和是一種西方的政治體制。因此，中國施行共和，就是在政治上放下中國舊有制度，接受西方新式制度。政治是社會活動的火車頭。這種放下中國接受西方的態度，對於百年來的中國文化走向，有極大影響。無論食、衣、住、行、育、樂都逐漸西化，以配合世界潮流發展。與娛樂相關的各類藝術，自然也發生改變。在這種改變中，中國的舊藝術並未被淘汰；新舊藝術並存，顯而易見。例如，大學系所設立與課程安排上：傳統戲劇與西方戲劇（話劇、電影）並存。傳統繪畫與西方繪畫（水彩、油畫）並存。傳統音樂與西方音樂（管絃樂、歌劇）並存。傳統舞蹈與西方舞蹈（芭蕾舞、現代舞）並存。這種種的並存，很有銜接新舊（中西）的意味。至於以後發展如何，則由歷史決定了。這種種的並存當中，獨獨流行音樂缺席。在這個新舊交替的巨變時代裡，各個重要藝術項目，都找到了自己的位置。流行音樂仍然受到忽視。

已經二十一世紀了，流行音樂還是一如既往地，為「鄭聲」「雅樂」的角色左右。但是，在這百年變動中，流行音樂有一種前所未有特殊身份－作為反映時代脈動、社會心聲，它可是時代交替的直接見證人。流行音樂的創造者們，經歷了新舊時代；他們有新知識新體驗，也兼具舊知識與舊體驗。（特別是舊音樂、舊文學的知識與體驗）他們作品之所以歷久常新，就在於反映出一些新舊間的朦朧美感。百年來的流行音樂創作者，是面對新時代的舊時代人物。他們以老百姓的普囉音樂，反映千年難見的中國巨變。百年來流行音樂，除了藝術意義外，還有歷史意義。它需要特別保存與整理的地方，即在於此。（流行音樂，既不傳統也不西方。形式上，它們多半接受西方的樂器；內容上，它們表達了東方的意境。這種複雜的表現方式，是百年來流行音樂的可貴之處。但是，這種複雜的表現方式，也使百年來流行音樂不容易納入刻板學術分類，不容易進入以分類為基本要求的學術殿堂）

台灣的流行音樂

中國百年來的第二巨大變動，是大陸與台灣的分隔。這種分隔，既有歷史的因果，也有現實的無奈。基本上，這種分隔，是剛性的政治分隔，不是柔性的文化分隔。這種分隔局面的調和與解決，要講方法，要講模式。對於社會的剛性與柔性支撐問題，古代禮樂思想，講得很好。《樂記》中有一段話：「樂者為同，禮者為異。同則相親，異則相敬」。這句話，把柔性樂（文化）與剛性禮（政治）之各自作用，講的清清楚楚。前者有同和親的作用，後者有異和敬的作用。前者的目的在於分別，後者的目的在於融合。禮（政治）模式與樂（文化）模式，是執政者必須兼顧的兩種模式。只是時機不同，模式不同。在大陸與台灣的分隔情況下，執政者當然應該啟動柔性的樂模式。環顧整個中國流行音樂界，台灣的流行音樂－特別是上述那些具有歷史意義的台灣流行音樂，可以產生文化上的同、親作用。可以產生文化上的融合作用。

中國百年來的第三巨大變動，是大陸發生文化大革命。這個運動，就字面而言，是延續五四的新舊文化運動。不過冠上革命二字，破、立的味道濃重。文化大革命對於文化上的立，需要長時間歷史評價。文化大革命對文化上的破，卻為當代世人共睹。在激烈的改革手段下，寶貴的中國文化受到破壞與限制。很多固有與既有的文化活動，進入停滯階段。在大陸文化大革命時期，台灣不能說如何猛進，但是起碼盡到了文化保存與保持的責任。在諸多固有與既有的文化項目上，台灣流行音樂界沒有怠惰，作詞者與作曲者輩出，傳承者與創造者並起。為百年來的流行音樂，增添新聲。歷史，是無法中斷的時間之流。大陸文化活動受到影響時，台灣文化活動與其成績的整理，完全可以填補這個遺憾的缺口。台灣文化活動（包括流行音樂）的歷史地位，是我們應該承認與重視的。

結語

莊奴先生以九五高齡去世了。在懷念這位中國流行音樂巨擘的時候，我提出幾個歷史觀點，盼望喚起大家對莊奴與流行音樂的重視。第一，《詩經》是先秦的流行音樂，孔子也曾經著手整理。第二，對於民國以來的各種藝術，（包括流行音樂）應該特別重視其在中國新、舊文化上的銜接地位。第三，各種固有與既有藝術（包括流行音樂）都具有同與親的作用。在融合民族認同與民族感情上，具有一定作用。第四，台灣的固有與既有藝術（包括流行音樂）能夠填補大陸文革時期的歷史缺口。

這幾點意見，若是得到有心文化人士的關注，進而對莊奴先生作品善加整理發揚。則是莊奴先生之幸，中國流行音樂之幸了。

王壯為的書意淵源
（完稿於 2015年11月1日）

楔子

藝術家多喜談論創造，然而創造何其困難。多少藝術家一生因創造二字，而徒然苦惱。藝術有創造麼？藝術當然有創造的部分，但是更大部分，來自於模仿。（imitation）模仿就是藝術淵源；就是從何而來，受到什麼影響的意思。

每一種藝術的特色不同，對於摹仿的要求也不相同。書法藝術的特色，最近於音樂。所有演奏家（player）都需要摹仿作曲家（composer）的固定音樂；演奏家能夠創造的部分，不過是輕重、快慢上的小幅度改變。（這種改變，我們稱為詮釋）書法亦復如此。每一個書家必須書寫固定字體，在固定書體的框架下，做線條、結構上的小幅度改變。這種小幅度改變，便是書家的創造所在。書法藝術，便是這樣一種藝術。如果投入這種藝術，便須尊重這種藝術的特色。如果不肯尊重，大可從事其他藝術項目，而不必掛著中國書法的招牌。不明白書法家是演奏家而非作曲家，可以說是完全沒有明白書法的本

質。（父親有一位好朋友，喚作張隆延。他一生不言創造，只談摹仿。其勇氣與堅持，亦是可以敬畏）

王壯為是了不起的書法藝術家。他在八十四歲停筆前，完成了自己的獨特風格。他的書法，當然也有各種模仿，各種淵源。作為王壯為的兒子，我對於他的觀察與了解，可能不同於其他人。下面約略地說說我的一些體會。（父親以書法與篆刻留名。篆刻的行書邊款部分，可以說有大創造。不過他喜歡講「鐵書」，刻字如同寫字一般。他的刻法，摹仿於他的寫法。沒有書法作基礎，父親不會在刻法上有大創造）

中國思想，重視意與形。也就是把事物分為內（意）外（形）兩個部分。在書法的摹仿與淵源問題上，同樣也可分為意、形兩途。意的摹仿與形的摹仿，顯然很有高下。本文題目用了「書意」兩個字，表示父親對於摹仿的認知問題，是超過一般人的。（意、形問題的不能理解，常使得今人看見古人題記「仿某家大意」字句時，完全摸不著頭腦。因為意似的東西，可能看起來，並不形似）王壯為的書意淵源，可以有幾方面來談論。

對王字的喜愛

和其他傳統書家一樣，父親也是從喜愛王羲之、臨摹王羲之入手。（清代阮元開始，書壇興起反王羲之風潮，至今方興未艾。這裡所謂的傳統書家，也就是通說而已。至於阮元的理論，我認為有政治考慮，並非全然就藝術而論藝術。長時間以來，書家對阮元草偃風從，並不注意其立論動機。畢竟，一位體仁閣大學士的倡議，還會有什麼錯誤麼）父親對於王羲之書法，始終情有獨鍾，特別是〈蘭亭〉，曾經長時間臨寫。（圖一）（圖二）

父親書法各體兼備，其中尤擅行書。（他的細緻分法，叫做行楷或者楷行）然而，父親行書的流暢雖近王字，但是結體並不很近於王字。（王字楷書以〈蘭亭〉有名，行書以〈聖教序〉有名）父親行書的流暢，得自於楷書〈蘭亭〉的書意，並不得自於行書〈聖教序〉的書形；他把〈蘭亭〉楷書的意，應用在自己行書的形上。因此，他雖然喜歡王字，臨摹王字，最終能夠寫出自己的風格。他的行書與王羲之的行書，並不一樣。王字的淵源，可以從父親的早期作品中看出來。然而，父親書法雖然流暢，卻頗見碩健。碩健，不是王羲之的特點。

對趙字的吸收

在父親而言，王字是吸引他從事書法的源頭。但是時間長久以後，個人的性格如何納入藝術之中，成為他所熱中追求的事情。父親祖籍河北易水，那是「風蕭蕭兮易水寒」的慷慨悲歌之地。那種燕趙氣味，如何融入書法之中，父親必須在古人的書意中，再去體會。

父親中年以後的書法，參酌了相當多的趙孟頫，特別是趙的〈三門記〉。（圖三）趙孟頫是一個在「泛政治」「泛道德」氛圍下，飽受攻擊的元代書家。（認為他仕於元朝，貪圖富貴）身為宋朝皇室成員，趙的書法，特別是楷書，很有一種富貴氣息－飽滿而圓潤。飽滿圓潤的風格，應該適合父親的燕趙本性。在不少楷書及行書作品中，這種趙字的飽滿圓潤，顯而易見。（圖四）（圖五）趙字還有一種慵懶華美氣味，即是一般說的「媚」。這種氣味，可以說是飽滿圓潤的過度表現。（趙字的「媚」，或許與顏真卿的弧形結構、線條有關，與趙受到的「泛政治」「泛道德」質疑無關）對於趙字，父親主要吸收其線條趣味；在王字的基礎上，加上趙字的線條，形成一種流暢碩健的藝術表現。這種流暢碩健的書風，是王、趙二家書意的摹仿應用。

關於父親的碩健書風，很多人以為是受魏碑影響，而不認為是受趙字影響。這種看法，也許有其見識，也許受到傳統儒家觀念，不願意將父親與趙孟頫發生關聯。我認為時代不同了，還是就藝術論藝術比較好。記得三十多年前，我跟隨錢穆唸書，完成博士課程，準備到美國再唸一個學位。這時候，一位在美國研究中國書畫史的教授，來臺灣找學生。他約我在圓山飯店吃早餐，算是簡單面試。其間，他問我父親的書法淵源，我提到了趙孟頫。該教授幾乎從椅子上跳起來，直呼數次「你程度怎麼這麼差？」以為我這樣說，侮辱了父親的清譽。幾天後，他來拜訪父親，在家裡用晚飯。席間他又說到這個問題，父親笑笑說「王大智跟著錢穆唸書的」。該教授回答「錢穆畫畫不錯，但是他沒有把王大智教好」。這位美國教授，竟然以為錢穆是個畫畫的。他走了以後，我跟父親兩個人相對苦笑。對於他的說法，自然也就不以為意了。

對古文的鑽研

父親五十七歲，離開總統府機要職務，全心投入藝術與藝術教育。他在這個年齡，容易辨識的個人風格已經出現，並且廣為社會接受。然而，他還有足夠的心力，希望再作突破。

這一段時間，他在師範大學教授書法篆刻，但是往來密切的，是畫抽象畫的前衛學生。例如劉國松、張義等等好幾位。父親隨著1960年代的抽象畫家一同探索，做了不少大膽嘗試：把紙揉皺後書寫，把紙浸水後書寫，或者一段文辭，以深淺不同墨色書寫多遍。就一位成名書家而言，這種勇氣，值得重視。然而，東西方的藝術旨趣有差異。同儕與社會，也並不見得同意，一個藝術家做這樣大的改變。

1965年，大陸發現春秋晚期的侯馬盟書。父親對這種書寫在玉片上的文字大感興趣。這是繼甲骨以後，相對大量出土的古代文字。（圖六）這種文字和甲骨有類似地方，都是以尖筆取勢出鋒。這兩種古老文字的書寫目的，是為了溝通神明。我認為，二者原本皆是以契刻為主，而非以書寫為主的文字。只是甲骨軟，容易契刻。玉片硬，不容易契刻；所以多以寫而未刻的形式留下來。這種契刻意味強烈的文字，自然讓父親想到他的篆刻，讓父親想到書法與篆刻結合的可能。（圖七）因此，他放棄了加入西方趣味的嘗試，一頭栽進考古文字的研究中。這一段時間很長，也留下不少作品。他寫侯馬盟書，可說是體會寫、刻合一的複雜練習。

父親之前，書寫出土文字的是董作賓。不過，父親和董氏寫甲骨的態度不同。董作賓寫甲骨，是他研究甲骨的延續。父親寫侯馬盟書，卻是冀望獲得書意，融入自己既有的書風裡。這種介於寫、刻之間的古老文字，有什麼特性呢？如何能夠表現在他的藝術（特別是行書）之中呢？這個挑戰非常艱鉅，對一個老人而言，他的思考與書寫工作量，非常鉅大。

最後，一種從未有人表現過的風格出現；時間，大約在他七十五歲以後罷。（圖八）這種表現，保留了王字的流暢，趙字的碩健。但是，去掉了兩家的漂亮華美，而代替以厚重古拙。字形上，趨於方正，線條上，減少變化。他的行書與篆刻，越來越接近；他的「鐵書」理想，終於達到；他的寫、刻藝術，真正地融匯在一起。父親的晚年，就在這種體會、轉換古文字書意的境況下渡過。這種境況，比較前面的綰合王字、趙字過程，其艱苦不可以道里計。母親和我，不能給予任何幫助。只能感受他的痛苦，品嚐他的境況。

對硬筆的揣摩

近代書法，漸漸成為專家藝術，已然不若百多年前的普及流行。一個重要理由，便是硬筆（鉛筆，鋼筆，原子筆…）的廣泛使用。硬筆的書寫不同於毛筆，父親感情靈敏細緻，這種基本工具的變遷，對他自然有其影響。不過，作為一個傳統書法家，書寫工具自是毛筆。以硬筆書寫，始終不能成為受重視的一環。然而，觀察父親的「鐵書」作品，隱隱約約可見硬筆筆意。硬筆書法的特色，就是沒有線條變化。

歷史上，類似硬筆的書寫風格，並不是很少見。約略講來，東漢以前的各類書法，因為寫、刻不分，都缺少線條變化。其目的，即是便於契刻加工。因此，沒有線條變化，類似硬筆書寫的書法，是中國書法史的早期特色。我相信，父親在研究古代文字、統合寫刻一體的過程中，必然對於硬筆書法有過觀察。畢竟他的刻印刀具，就是一種硬筆。(鐵筆)他的「鐵書」理想，就是以刀代筆，以筆代刀。關於父親晚期書法的硬筆趣味，似乎無人談過，還有進一步的探討空間。(圖九)

我在研究所教授書法史，將近二十五年。我沒有什麼關於書法的研究文字，因為興趣廣泛，旁及其他。但是，我在父親身邊四十多年，對於他的種種，也是留心。本文或者不合於研究者的一般論點，就算是關於王壯為的一篇雜文好了。

(2001 1 29 完成大綱，2015 11 1 完成文稿)

附錄

我 1991 年自美返國，替父親籌辦過六次大型展覽，包括歐洲柏林與北美溫哥華。另外，寫過相關文章 10 篇，現在，應中華文化總會之邀，寫了第 11 篇了。下面列出前 10 篇的名稱，作為一種紀念罷。

王壯為書藝的變與不變	《中國時報》1992
嚴師門下	《時報週刊》1992
我的父親王壯為	《聯合報》1993
漸齋漸老	《聯合報》1993

淺談我的父親王壯為（創價學會）	《王壯為書法創作集》2005
記父親王壯為的幾個老朋友（1）張隆延	《國文天地》2013
記父親王壯為的幾個老朋友（2）周棄子	《國文天地》2013
記父親王壯為的幾個老朋友（3）曾紹杰	《國文天地》2013
記父親王壯為的幾個老朋友（4）傅狷夫	《國文天地》2013
記父親王壯為的幾個老朋友（5）王北岳	《國文天地》2014

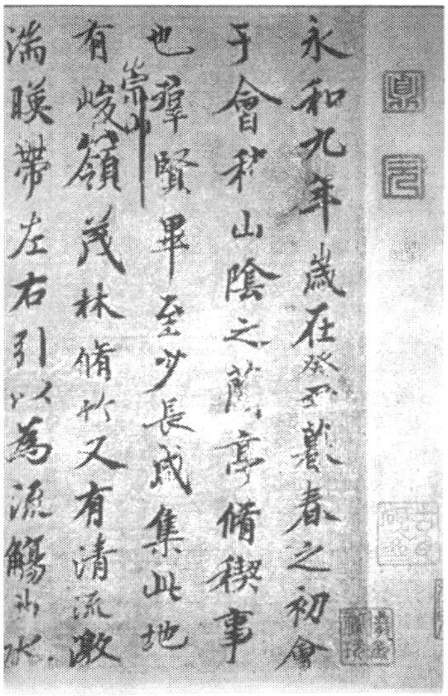

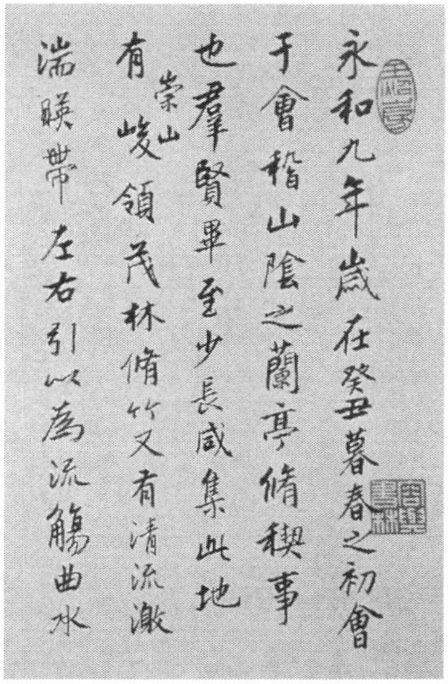

（圖一）王羲之〈蘭亭序〉

（圖二）王壯為作品

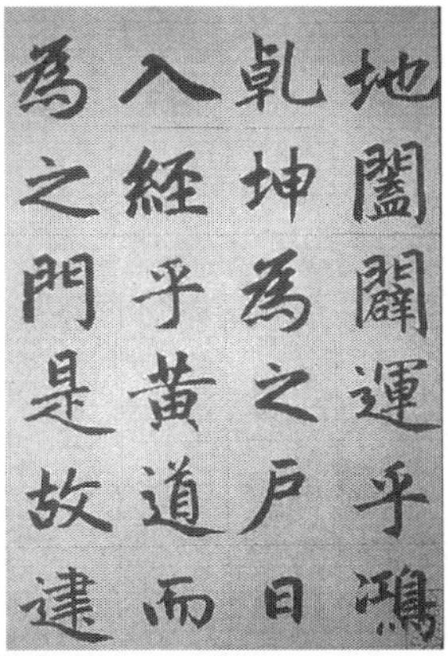

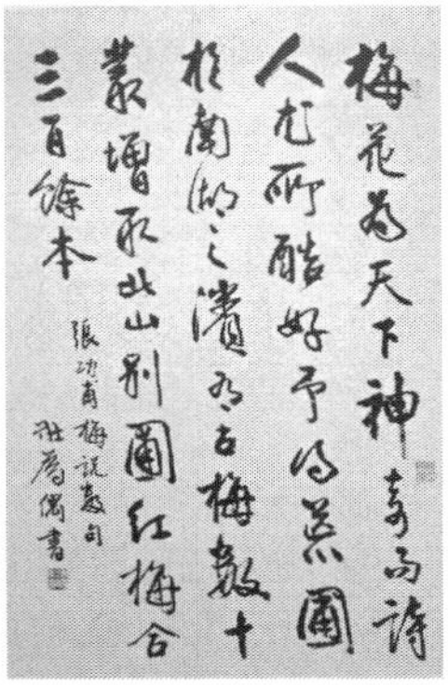

（圖三）趙孟頫〈三門記〉

（圖四）王壯為作品

（圖五）王壯為作品

（圖六）候馬盟書

（圖七）王壯為作品

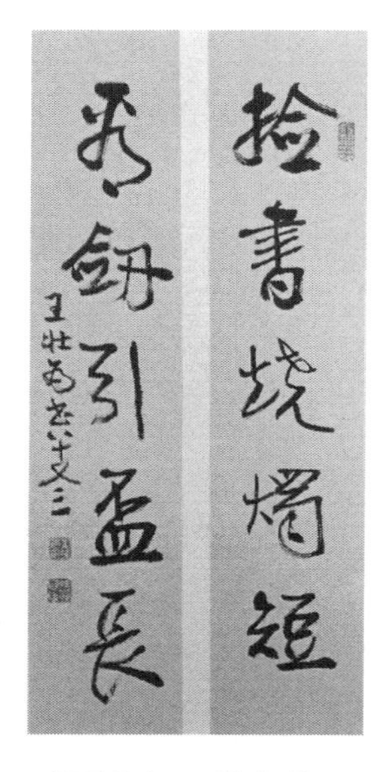

（圖八）王壯為作品

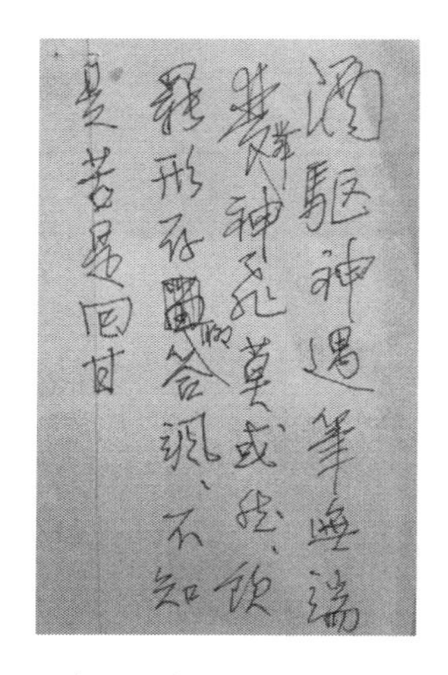

（圖九）王壯為詩稿

試論王壯為的書法淵源（大綱）

（完稿於 2001年1月29日）

藝術家多喜歡談論創作，然而創作何其困難。多少藝術家，一生因為創作二字，而徒然苦惱。

藝術有創作麼？藝術當然有創作的部分，但是有更大的部分來自於模仿。模仿在中國藝術中，是非常重要的部分。模仿就是藝術家的藝術根本所在，也就是藝術家的創作源頭。一個藝術家如果不經過模仿，則不能夠憑空奢談創造。甚至我們可以說，模仿的部分，才是藝術得以代代相傳的主體，才是代代藝術家精華之所在；而創新部分，常常只是藝術家在模仿過程中的靈光乍現。

王壯為，無疑是一位了不起的傳統書法藝術家，他在八十多歲時候，完成了他自己的獨特風格。他的書法，當然經過各種的練習，各種的模仿，而後自成一家。

王氏書法的淵源，可以有幾方面來談論：

一　傳統書法流派

王氏對於晉代王羲之的書法，始終情有獨鍾，王字的流暢，是王壯為書法的主軸。

王氏對於元代趙孟頫的書法，有深刻體會，趙字的華美，是王壯為書法的重要特徵。

王氏對於明代王鐸書法最為喜愛，並有收藏。王氏亦有文字敘述王鐸對他的影響。

王氏因為治印，對於各種古代碑刻文字長期浸淫，魏碑的底子既沈且厚。

二　印學對書學的影響

王氏印名不亞書名。二者陶冶既久，自然相互鎔鑄。王氏書法的獨特處，這部分不可忽視。

三　近年來出土的考古學古代文字部分

王氏用功極勤，對於出土各種新見文字，都詳加考據研究。侯馬盟書，更是由王氏書寫，而見重書壇。侯馬盟書為玉刻文字，王氏對於寫、刻二途的合而為一，始終有其理想。

四　硬筆書法的揣摩

近代書法，漸漸成為專家藝術；已不是百年前，人人可以談論，人人可以書寫的情況。其基本理由，便是硬筆（鉛筆、鋼筆、原子筆…）的廣受歡迎。硬筆的書寫不同於毛筆，王氏感情靈敏細緻，這種基本工具的變遷，對於他自然有其影響。這種說法，似乎尚未為書界提出，有再進一步發揮空間。

王壯為書藝的變與不變

（完稿於 1992年7月25日）

曾經與黃天才先生談到壯為先生的書法。黃先生對傳統藝術浸淫多年，他說，在台灣藝壇上，君璧先生的畫，和壯為先生的書有一共同特色：他們皆數十年來秉持一種風格，而不輕言改變。這種情形，和藝術家的嚴謹及追求完美，有密切關係。黃先生的看法，是一種明見。

壯為先生不曾受過正式訓練，對自己的藝事，也較少以新式術語形容。然而天下本少新鮮之事，我便試著以新瓶，裝一下他的舊酒罷。

對於藝術上的各種問題，壯為先生總以一種極為傳統的說法解釋，他經常說「藝術是有選擇性的」。他對於藝術創作，既不以為別人一定對，也不以為一定不對。他尊重別人的選擇，但是也重視自己的選擇。而他的選擇就是「建立自己的風格，精益求精，不隨便輕言改變」。

這是非常傳統而東方的觀念，其中的精義有兩點。第一，強調藝術上累積知識經驗的重要。發現自己的風格，以及建立自己的風格，都是藝術家們最關心的事。然而是不是要不斷的尋找新風格呢？卻是比較見仁見智的問題了。傳統觀念中，以為不斷改變風格不是一件好事。原因很簡單，若是風格的改變太快，每一個階段的知識與經驗累積，不可能足夠充分，自然表現就不夠成熟。因此，對同一風格做持續的研究和練習，是增加作品深度的好辦法。第二，認為藝術和美感是一回事。藝術畢竟是追求美的一種工作。所以，藝術家們應透過長時間，對單一風格加以琢磨與思考；才能把美好的、精華的部份表現出來。

當然，若是並不以為作品的深度與成熟那樣重要；或甚以為，將人生中醜惡、矛盾、衝突、痛苦表現在作品上，乃是藝術價值之所在。那又是另一種看法，一種選擇了。壯為先生喜歡新派的抽象藝術，以為那和書法有不少相近之處。不過，說到他自己的路應如何走，他是完全傳統的。照他的話說，他走他所選擇的路。

然而，壯為先生的書法風格，真是完全不改變的麼？答案又是全然否定的。因為世上沒有不變的事情，藝術家只是通過精益求精、一絲不苟的認真態度，對他所選擇的風格，反覆操作，使得「變化」自然而然的隨著時間腳步流露出來。因此，欣賞壯為先生的作品，在統一的風格之中，又可以看見許多因年齡不同，而產生的精緻變化。這種「求變化」與「等待變化」的不同心態，應該也是傳統藝術、現代藝術，甚至東西方藝術間一個重大的歧異。

對於等待變化，而不企求變化的藝術態度，壯為先生取了「漸齋」的號以明其志。記得他七十歲剛用這個號的時候，一位朋友與其討論佛家的「頓漸」之道。以為頓是不得了的，漸則是人生體悟中較低的層次。壯為先生便問：「頓後又當如何？再頓麼？再頓又成漸啊！」客人云：「頓後便如如不動」。壯為先生停了一下，說：「我還是願意慢慢的動，還是我的生活有趣。」我在旁邊聽了，也有一些「頓」的感覺。心中想到，看來還是「漸」好啊。

我的父親王壯為

（完稿於 1992年4月15日）

本文原載於《聯合報》（1992 4 16）
是我回台灣，父親重病時所寫
我們又陪伴父親八年，他 90 歲安然而逝
小說〈九二鬧神明〉裡面，有這一段的影子
2010 青演又記

父親臥病已經近一年。去年五月我自美返台，建議他入醫院治療膽結石。不料他身中潛伏的淋巴腫瘤細胞因而擴散，以致發病。

父親與我皆有個性，然而感情亦深。三十年來兩人難免有衝突，然亦曾有數度把酒言歡以至酩酊，或甚至相抱痛哭的情形發生。父親雖為舊式人物，而至性若此。與我之間除父子情外，猶有朋友一般「男人對男人」的溝通及了解。

父親原為辭修公（陳誠）的機要祕書。辭修公逝世後，他離開政界成為一名專業藝術家。他在五十五歲那年做了重大決定，並且在三

十年後建立了他的藝術事業。

藝術上不言勇，然我總以為父親在書法金石上，有一種類似勇敢的強大生命力量。他的藝術，或可以「強壯而不強烈」表示罷。父親的號「壯為」，原意即有為藝術「壯而為之」的意思。（古人有治印乃「雕蟲小技，壯夫不為」之說）在今日藝術上，非怪則無以取寵的時代，雖然他亦不反對「怪者自怪」，他的藝術風格仍是規矩平實，「壯者自壯」。

父親藝術中的「強壯」因素，除了個人性格外，當來自北方人個性特色以及生長環境。他年幼時，周圍亦多勇猛剛烈之人。以我所知，在我父母（王，張）兩個家族裡，民國以後即有五位將軍，父親藝術上的「強壯」，或竟是其來有自了。

父親抗戰時，曾為宋哲元，張自忠將軍幕僚。張將軍殉國後，父親保有了將軍的一雙襪子。日前家中翻撿舊物，視此而有十分感觸。我便寫了一小幅字放在父親床頭，寫的是「戰鬥！王沅禮上校！」（沅禮是父親本名）。父親去年入院時，醫生認為他只能生存兩個星期，但是他生存了十個月，並且準備迎向未來的無數個日子。

記父親王壯為的幾個老朋友（一）張隆延

原名：道法自然－與張隆延先生一席談

（完稿於 1992年5月5日）

張隆延、曾紹杰、王壯為，攝於台北

本文為十九年前（1994）之舊作，當年僅三十七歲耳。然觀其文字，亦屬老成。二十年來，學問未有進境，而容貌已與圖中人物彷彿矣。

天保王大智記；時年五十有七。

父親大人露出逗趣之狀貌，必為酒後所攝！知父無如子，絕無他說！

再記

旅美名書道家張隆延先生返國一月，並於日前離台。先生數十年前曾為國立藝術專科學校校長，也曾掌教育部國際文教處。英、法、德文造詣一流。但是，他終身醉心中國書道藝術，並且作育英才無數。在他上飛機的前一天，我去看他。雖然先生與父親為數十年老友，我向他當面請益，卻還是第一次。相談之下，有勝讀十年書之感。所談多與藝事有關，回家後便胡亂記下，以為頗值深思玩味。

記得以前父親常說先生規矩大，要我見他時需謹言而慎行。父親說這話也有三十年了，但是我始終記得。因此，我去看先生時，便先以電話稟之。沒想到他劈頭便說：「我與壯為先生真正如兄弟。二十年前，我赴美定居，他從來不送人，卻來松山機場送我。回家後寫一長信予我，說他從機場回家，不坐車而走路，以去心中鬱悶。走了好幾條街，仍不得平復。因此，你若是來看我，而帶一片茶葉，我就將你推出門去。」性情竟至如此。

到了張府，先生賜清茶一盃，便開始談論書藝。首先，他說與父親論書道書法名稱之別已數十年。他以為藝進於道，自是道優於法。稱書道，則學書成為一個完整的修習過程。最後，書家可以因書藝而入道境。稱書法，則容易為一法字所執。雖萬法皆備，卻有見樹不見林之憾。父親卻表示不同看法。父親以為說書道空泛，何階段方為入道，標準難定。徒使習書者有飄飄然感，反而不容易長時間的下功夫了。說書法則簡單，一法求完再求一法，該得道自然得道，未得道亦算得法之人。說到這裡，先生喝了一口茶，開了另一個話題。

父親向來講寫字要「與古為新，有己能久」，就是要師法古人並且創新。不過，父親非常重視「能久」這件事。也即是說，創新固重要，但是須為新而美好，要能被人長久接受，而不只是新人耳目。這種看法我稱為有理想的保守派。而先生的論點卻更為保守。他只要追求古人的美好處，卻不求新。這種看法大概和前面的道、法之爭有關。因為法有新舊，而道卻無所謂新道舊道。先生作了一個很恰當的比喻。他說書法藝術抽象似音樂，他立志做演奏家而非作曲家。歷來已經有那麼多書家創造了不同的書風，都是那樣好，他熟悉每一種美好的形式，並且要將這些不同的美好形式表演給大家看。正如世界上所有偉大的音樂，值得一再演奏一樣。這種，不以發揮自我，而以傳承美好形式為職志的藝術態度，堪稱衛道。我不禁為之動容。茶盡，談話結束。先生命我攜詩四首與碧蘿春一聽回家，外面已是月光滿地。

回家的路上，一些東西在心中縈繞不去。似惑，似解。似是驚異，又似是感慨。先生與父親今日皆堪稱書界大老。他們的半世情誼，建築在亙久的藝術追求上。他們如此不同，又如此的相同。一個人求道，一個人求法，最後二人皆得有法有道之果。一個人講創造，一個人講守成，結果二人皆能創造兼守成。啊，藝術上的事真是殊途而同歸的麼。理論上的如許差異，竟得以半世紀的實踐而統合。或者道即是法罷，我們不是說道可道非常道麼。或者法即是道罷，我們不是說拈花而微笑，一花一世界麼。或者創造必得先守成罷，無在胸之竹何能下筆有神呢。或者守成者終入創造之境罷，我們不是又說求變無變，不變而自化麼。

以前總是聽人說慕古君子之風，看來古代真是已離我們遠去。在藝術與「追求」二字揮手，而與「發洩」同義的年代裡，先生與父親的風範和友誼，吾心嚮往之。

記父親王壯為的幾個老朋友（二）周棄子

（原名：想到周棄子先生）

（完稿於 2000年5月2日）

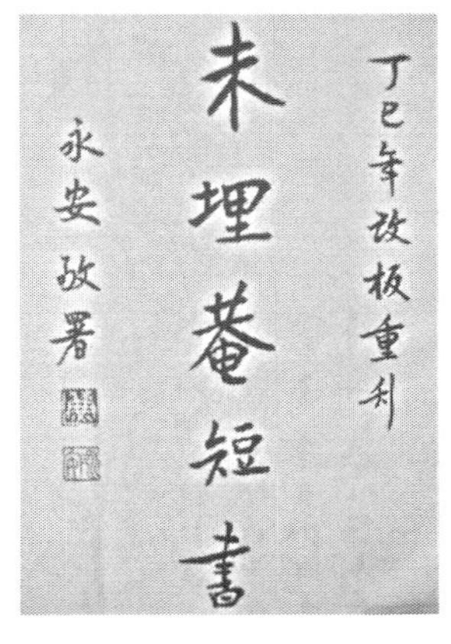

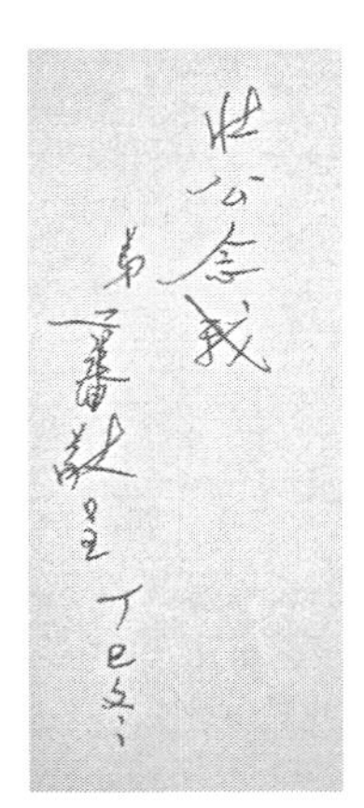

《未埋菴短書》內頁　先生木刻像 陳庭詩作　「念我」數字

大詩人周棄子先生送給父親的《未埋菴短書》；前面題了「壯公念我」幾個字。「念我」不俗，並且很有些轉折的深意。因此，本文題目，使用了「想到」兩個字，替父親應對棄子先生的感情；也代表我對先生的懷念。

關於棄子兩個字

以前家中有一位父執朋友，喚作周棄子。這位先生是湖北人，也是有名的詩人和才子。他最喜好罵人，幾乎無人不罵。不過他很尊敬父親，兩人的關係很好。父親敬重他，主要是認為他有才氣、有感情。棄子先生在大陸家道不弱，因此不脫少爺習氣；對金錢沒有觀念。也因此，每月月末，他便有一點羞澀的窘況。父親也都很願意幫助他；記得大約每次二百元之譜。不過，在五十年前，長年累月，那也是一筆數目。對於棄子先生，我很有點好感。他來，總是親熱的叫他伯伯。因為，他雖然極瘦，但是西裝革履，頭髮也剪得精細；很有點三零年代老上海的瀟灑氣味。不過母親對他有意見，一者因為他喜歡請父親通融，二者因為他喜歡飲酒。而父親飲酒出名，二人在一起，便難免過量。

年紀漸長以後，我對於棄子先生的興趣，轉移到他的名字。他本名周學藩，棄子是他的號。既然是號，則是他自己所起；代表他對於人生的看法，或者對某種境界的嚮往。然而棄子是什麼意思呢？從字面上講，應該只有兩種說法：一是為人所拋棄的兒子；所謂棄嬰棄兒。一是投降的動作，所謂棄子投降。無論哪一種意思，都極為灰色，不過倒很合於棄子先生的詩人個性。

今年夏天，翻出他的文集－《未埋庵短書》；看起來很有味道！確是才子之作！但是，也確是消極頹廢得不得了。我向來不喜歡這種文體和感觸，但是對他的文章，卻很喜愛！可見描寫對象和描寫本領是兩件事情。有本領的人，可以把無趣寫得有趣；沒本領的人，可以把有趣寫得無趣，並且把好主題、好材料都糟蹋掉。

稱自己為棄子，到底是什麼想法呢？我始終不知道。但是對於自稱棄子的兩種可能性，都認真想了一下。雖然沒有重大意義，卻也是一種對文人典故的玩好之事。

如果棄字是指拋棄

歷史上，周、棄二字連用，讓人想到周朝人祖先；他便叫做棄。（商祖與周祖的名字發音一樣，但是寫法不一樣。一般稱為商契、周棄）棄的母親，是有邰氏女姜原。一天，姜原在野外，踩到了一個巨人腳印；結果懷孕。因為姜原的懷孕過程不正常，所以生下孩子後，就把他丟掉；這便是棄之所以叫做棄的原因。丟了以後，發現野外的動物都不傷害這個孩子；姜原又以為他是神明，而抱了回來。後來棄的子孫，建立了周朝。

周棄，是歷史故事上的一個名人；也可以稱為是一個「典」。如果棄子先生用的是這個典，那麼，他是自比周棄的身世？還是周棄的事業呢？若是後者，棄子先生這個文學家，看不出有什麼政治上的企圖與理想；若是前者，則棄字可以指主動拋棄，或被動為人拋棄。那麼，這個別號可能牽涉到他個人身世問題；既非我所知，也非我所願意深究。不過，我總覺得棄子先生的號和周棄的關係不大。因為，這種剛好有周、有棄的「典」太明顯，一般不為高級文學家所取。而愛好玩弄文字小把戲，也並不像棄子先生的調調。

除此之外，與周棄有關的典故，還可以有一個附帶的聯想；那便是周的文化特色。周是古代有文化的民族，所謂「夏尚質，殷尚鬼，周尚文」。周是尚文的民族，而周棄是尚文周人的祖先。棄子先生是不是自稱其為周棄的子孫，以表示他崇敬文化與文藝呢？這倒是有可能。（那麼，他就不是周－棄子，而是周棄－子）不過這種崇高理想與遠大志向，又好像與棄子先生的藝術表現不相類。因為棄子先生，並不主張與發揮什麼文以載道的精神；反而頹廢與消極，始終是他的作品主軸。當然了，我們也不能夠因為作品的性格，而斷定棄子先生沒有積極的志向。

如果棄字是指投降

棄子二字，非常可能與前述事項都無關聯，而是指投降的意思；因為「棄子投降」也是一個通俗的「典」。（但是，絕少有人願意把「棄子投降」嵌入名號，所以它又不俗了。）如果棄子是投降的意思，那麼，了解棄子先生的投降對象，便是有興味的事。因為，沒有對象，無從投降。

棄子先生個性強烈，無論現實制度，達官貴人，無所不罵。所以，能夠使之投降的對象，一定是一種精神方面的事物。而精神事物足以令人無法抗拒，以致於投降者，可能有以下幾方面。

其一，對人生諸多限制與無奈的投降。文人多感，煩惱和痛苦是比一般人多。例如對於時間流逝的敏感、對於舊人舊地的依戀、甚至有志不能伸展等等，都較平常人不能適應。而各種限制與無奈中，愛情可能是一個重點。很多文人都過不了愛情這一關，棄子先生多愁而善感，愛情的魔力可能令他難以抗拒。然而什麼人有那樣的關鍵性，令他對於愛情投降呢？是電影明星阮玲玉嗎？（棄子先生迷阮迷到不可思議地步）不過他和阮並沒有什麼實質接觸，純然是影迷影星關係。

其二，對文人性格本身的投降。如前所述，文人對於客觀世界中的很多事情，不能適應，不能釋懷；因此有極大苦痛。但是客觀世界的限制與無奈，多是出於文人主觀心態上的敏感與多慮。以佛家的觀點講，文人非但與佛法無緣，還有一顆遠低於普通眾生層次的脆弱心靈；它容易對微小刺激發生反應，甚至顫動。因此，很多文人的痛苦源頭，是不喜歡自己的性格，甚至痛恨自己。可是基於文人特質，他們又沒有膽量、（包括太少勇氣和太多羞澀）沒有機緣（沒有勇氣，自然對機緣視而不見；過於羞澀，自然對機緣視而不見）去改變自己，苦惱不已；最後選擇投降！

其三，與前面各種假設正相反；因為棄子先生非常喜愛文藝活動，而對文藝投降；棄子先生的投降對象，正是他所喜愛的工作。他完全投入，以致於甜膩地，投降於他對文藝工作的不可自拔。就好像古代西方人崇拜文藝女神，而拜倒在雅典娜裙下；或是古代中國人對書法喜愛，而自稱書奴一般。（少人知道，棄子先生也是湖北戲專家，迷湖北戲迷得不得了）是耶？非耶？人生可以投降的主題真是太多了。棄子先生想什麼呢？

後記

我個人以為，自比周棄的可能性最低；以周棄子孫，譬喻文人身分的可能性其次；最有可能性的，還是投降放棄的意思。而投降放棄的對象，以對文人性格本身的投降、對人生諸多限制與無奈投降為主要。因為這種投降放棄，和他的灰色頹廢文筆，非常相合。至於向文藝投降、對男女感情投降，都有可能；但是不如投降於文人性格與人生限制來得深刻。

投降是一件不好的事，一般人不願意輕言投降，更不願意把投降作為名號。但是，棄子先生用了一個中國棋藝中的術語，把投降二字文學化與哲學化了。在棋藝中，棄子的學問很大。棄子，不是羞恥的事情，而是一種風度的表現。棄子，是因為客觀上不如人，而主動表示認輸。這種不傷和氣的競爭，很有古人「揖讓而升」的君子精神。同時，棄子又是智慧的表現，因為棄子這個動作的重點是時機（timing）；什麼時候棄子？不要過早而讓人以為保守膽怯，不要過晚而讓人以為死纏爛打。棄子，需要有綜觀全局的判斷力，是一種理智活動下的困難選擇。並且，棄子精神發揮在現實人生中，還蘊含有一種保存實力的高段智慧。我們不是常說「留得青山在」麼？這種說法就是棄子二字的辨證表現了。

棄子先生是一個好文學家，他的名字應該有比較深刻的意思。當然，我想的一些事情，棄子先生大概也都想過。所以當他用了這個別號以後，是不是慢慢地，棄子的各種意義才逐漸浮現？而他對於各種棄子的意義，也都持不肯定、不否定的態度呢？

好的藝術，都是離開藝術家後，獨立的漂盪在欣賞者的想像世界裡，而具有多重解釋的可能性。那是好藝術有味道可玩索的部份，也是藝術的價值所在。棄子先生的別號，亦復如此罷。

記父親王壯為的幾個老朋友（三）

曾紹杰

（完稿於 2012年3月3日）

曾紹杰　張隆延　王壯為（攝於松山機場）

父親民前出生。朋友的年齡，也大致相近；朋友的氣味，也大致相近。我小時候，家裡保守嚴肅，人際交往的規矩大；講究「君子之交淡如水」。父親與朋友，多以文字、藝術交遊來往。見面，便待之以清茶。飲酒，則佐之以詩賦。至於父親和朋友間，言語行為上的任何輕慢狎侮，我從來不曾得見。

因此，我的家庭，離開現世社會很遙遠。不只是一個書香門第－而是一個「活化石」(living fossil) 的古代書香門第。距離現世，至少有三五百年？如果我從小不練習武術、不去西方學考古，(該學問的求知方式，不類學者而類工人) 以去其文氣，恐怕難以苟活於當世。這是個笑話，不過笑的有些淒淒然。

父親的好友極多。好友，泰半建立在互敬互重的關係上；因此，好友並不必然如何親近。諸多友人中，和父親最為親近的，應該是曾紹杰先生。兩個人都喜好書法與篆刻，興趣相投，自然話題豐富。而所謂的親近，主要表現在打電話上。

二人電話時，非但不以「兄」「翁」「老」開場－並且不互稱名字，甚至連一聲「喂」都不需要，就直接講話。父親以這種方式講話的，只有紹杰先生一人。至於兩人是否常見面，倒也未必。雖然是好朋友，也嚴守交友分寸。緣於這種關係，我稱先生為曾伯伯。(他比父親小三歲) 他則呼我為「小牛」。發音為「ㄒㄧㄠ　ㄋㄧㄡˇ」。

我的乳名叫「牛」，因為父親的乳名叫「斗」。「斗」「牛」是天上的兩個星星，都是二十八宿中，北方玄武系星座。(這種取名的方法，多少有點少數民族的「父子聯名」味道) 我的學名叫「大智」，因此乳名也加上一個大，而稱「大牛」。家人稱呼我「大牛」直到高小時間；經過多次抗議，才在外人前面稱我「大智」。而先生不依我家規矩，自始至終呼我「小牛」以為親切。

先生家世顯赫；籍貫湖南湘鄉，是清朝中興名臣曾國藩的後人。

（正確的說，是曾國藩九弟曾國荃的後人。）有人看見紹杰兩個字，以為他是紹興人－紹興的人杰。其實，紹是動詞做接續講－紹杰，有克紹箕裘，光顯曾家門第的意思。因為如此罷，先生確實是儀表堂堂，氣度不凡－雖然剃了一個大光頭，但是有型款。他上海大夏大學（即是廈門大學－「大夏」取「廈大」義。首任校長馬君武）會計系出身，長時間在台灣電力公司服務。我對他的正職事情，知道少。每次來到家中，先生與父親談話；引我注意者，是他的打扮與穿著。

先生注重打扮。雖是光頭，卻不馬虎；光頭永遠發亮，頭皮上沒有一絲斑點。我認為，他平常是將頭髮當鬍鬚剃的－每日剃鬚剃髮。這種剃頭規矩，只有準備上朝的前清大佬才遵守。只是他們只剃前額兩鬢，先生則整個剃去。

> 滿族男子髮式，要將額、鬢的鬚髮一起剃掉，只有頭頂留髮，編一稀疏小辮垂於腦後。外人初見，稱為「豬尾」（pig tail）。因為髮式怪異，才會引起清初的留頭、留髮風波。現在演清朝戲的演員，多不肯將兩鬢剃去，甚至連前額也不肯剃去；拖著一條「分毫不少」的粗大辮子，則完全是女人髮型了。

說到穿著，那便要分冬夏來講。天氣冷的時候，先生就把長袍拿出來。那個時候，穿長袍已經不普遍；不過穿著在街上走，也不會引人側目。然而先生的長袍不同凡響；長袍之內，有紫貂襯裡！換句話說，他的長袍只是一件呢子罩衫，套在真正的貂皮長袍外面！這種物件，當然是從大陸帶來台灣的。不是名門巨室，不會擁有這種東西。穿著這樣中式服裝時，先生必定搭配以中式布鞋。不過，他的布鞋皮面皮底－是做成布鞋樣子的皮鞋！

天氣熱的時候，先生就把淺米色中式衫褲（褲掛）穿起來。質料麼，當然是絲的或者府綢的。（高級 poplin）他的中式掛子，不用「蒜頭疙瘩」繫縛，而用西式紐扣。紐扣麼，當然和褲掛的顏色必須一致。

不知何時開始，先生變得洋派；夏天也穿起寬大的夏威夷衫。（Aloha shirt）在那個普遍經濟不行的時代，他怎麼得到那些「洋貨」呢？原來是張隆延先生給他買的。張先生出入國門的機會多，知道先生喜歡打扮，便給他買衣服。我又怎麼知道這些事呢？原來父親也請張先生買東西，買的都是美國博物館的藏品圖錄，和香港的大陸出版品。後來，父親乾脆放一筆錢在張先生處，請他斟酌購買。因為買衣服和買書的原因，父親幾次和先生鬥小嘴時，都說他「就會享受，不肯讀書」。先生非但不以為意，並且表現出得意樣貌；認為享受亦是一種人生哲學。

民國四、五十年的台灣，街上出租汽車少而人力三輪車多。（車夫多山東人）而先生家中，備有私家三輪車一部。該車為朱紅色，鑲有鍍鎳邊條；（車子的其他金屬部分，包括輪輻，也全部鍍鎳）雖不像民初黃包車掛著「氣死風燈」，木製車身上的層層厚漆，也絕對光可鑑人。龍頭把手處，有類汽車的雪亮大燈一枚。

說到享受，就不能不說吃。先生吃東西的講究，那可是無與倫比。他的名言是「要吃就不要怕花錢，要吃就不要怕麻煩」。他家裡不請傭人，但是有廚子！不置傭人而置廚子的情況，很不一般。可見他對生活事體的輕重看法，異於常人－絕對把吃擺在第一位！家中有廚子伺候，大約即是「不怕花錢」的寫照。而週末清晨，親自提兩隻大藤籃上南門菜場採購，也可窺其「不怕麻煩」的真義。

講究食材，是先生「吃道」之根本。我印象最深的，就是他買火腿。先生買火腿，必然隨身攜帶長針一枚。看見中意火腿，便將長針插入火腿兩寸深許，左右旋轉數次；把針拔出，放在鼻端品其氣味。判斷肉質的未熟、成熟、過熟，就在這一針之下定生死。過了這一關的火腿，他才肯購買。這種採購的方式，恐怕很多攤販不能接受。先生會計出身，一口濃重湖南土話，如何跟錙銖必較的小販周旋呢？所謂「不怕麻煩」，由此又可見其一斑。

先生採購回來以後，就不肯事必躬親了；如何調理食物，從旁指導廚子即可。不過，他對廚子的要求，相當堅持。記得有一次，他辭退一名廚子。原因是該廚子在「發口蘑要換幾次熱水」的準備工作上，沒有達到標準。所以，在曾府作廚子，可不輕鬆。

母親也好做菜，幾味簡單開胃冷食－醃芥菜、燒茄子、蔥燜鯽魚、乾煸牛肉、油泡蘑菇等等，曾獲先生讚美。年節之際，她做的京式血糕，廣式蘿蔔糕，也令先生聞香而至。母親手藝，大約是和齊如山媳婦媛珊女士的來往有關。（我四歲時，念國語實驗小學幼稚園，與齊如山的孫女齊克寧同學。齊克寧較我少長，每每能發現我鞋未穿好，而主動替我繫上鞋帶。當時，兩家家長頗有「兩小無猜」的玩笑話云云）媛珊女士善烹飪，著有食譜一部。該食譜早已絕版，近日整理舊物，食譜竟自厚封塵土中得見天日。

這樣長期的講究吃東西，終於吃出問題；先生晚年得了嚴重糖尿病。糖尿病患者容易肚子餓。這下不得了，得病後的先生，不但要吃好，還要吃多。來家裡閒坐的時候，哪怕一碟點心，一盤水果，都要吃光。這種失控的情形，父親母親和曾伯母，都很擔心；但是一無辦法。(伯母廣東人，但是因為先生，平日完全講湖南話。她與母親在一起時候，才講廣東話）一生講究美食的人，要他吃的簡約樸素，幾乎不可能。到了後期，糖尿病產生很多症狀；眼睛視力不行，身體嚴重顫抖。我 1987 年去美國，行前數日，他邀請我在紅寶石餐廳飲茶。當時見他拿筷子吃東西，已經顫抖到難以入口。第二年，他去台北市立美術館審查書法篆刻作品。結束後，與王北岳先生同坐計程車回家。一上車，先生即歪倒在王北岳身上，就這樣輕鬆寫意地過去。他的享受哲學，算是有始有終。

父親與先生交往深篤；我與先生，亦有感情。走筆至此，恍惚神傷，而不知如何終篇。先生音容笑貌，似在眼前；呼我「小牛」趣味神情，似在眼前。人與人之緣起緣滅，真有不可思議處。嗚呼。不過回憶小文耳，竟至黯然如此？是由本文，想起先生？是由先生，想起父親？思緒紛亂，無以為繼，夜闌燈昏，奈何奈何。

記父親王壯為的幾個老朋友（四）傅狷夫

（完稿於 2012年3月6日）

左起　傅夫人、母親明隋夫人、父親王壯為、傅狷夫

照片左下角，有父親寫的「庚午年冬餐館」數字。
庚午年是 1990 年，該年傅氏夫婦移居美國舊金山。
父親與傅狷夫神情黯然，想是臨別送行之聚會也。

父親的朋友，多半是寫、刻界的道友。不過父親也畫畫，畫的是簡筆山水和寫意花卉；因為覺得自己風格不明顯，多半落有「得梅瞿山筆法」「仿龔半千大意」等等題記。（父親畫畫，知道的人少。民國七十幾年，在台北市新生畫廊舉辦書法展覽時，父親拿出部分繪畫做為陪襯－大約十餘件展示。結果蔣孝勇先生喜愛，堅持全部購去。）因此，父親和畫家的來往也多。當然，如果畫家也會寫、刻，或者愛好詩詞文章，那麼，這種交往便更為可喜。畫家中，傅狷夫先生和父親走得很親近。雖然先生比父親小兩歲，我還是稱呼他為傅伯伯。

事實上，我稱呼父親的同輩為伯伯、叔叔，不一定計較年齒。如何稱謂，自有舊式教育、文化的倫理蘊涵其中。記憶兒時的規矩種種，恍若隔世。

舊式文人，多有別號。別號不是父母給予的，而是自己取來的。舊式文人的別號，多半代表心境。（這種取號方式，或者來自禪宗；和新式文人的所謂筆名，nick name 很不一樣）如果心境有改變，可以改另一個別號。如果心境長時間不改變，那就長時間使用該別號－甚至代替了名字。這種情況，可以統稱為「以字行」。但是「以字行」是個含混的說法；多半情況下，明明是「以號行」麼。例如東坡、山谷、石濤、八大…等等都是「以號行」。（字和號不同，字是父母取的，要和名有關聯－例如孔子的兒子孔鯉，字伯魚）然而說「以號行」，大家又不習慣，又覺得奇怪了。

王壯為和傅狷夫，都不是本名。壯為和狷夫，是父親和先生的長期心境；所以長期使用。二人交往之初，必有因別號而會心一笑的場面。因為，壯為和狷夫，是兩個相對的別號－兩種相對的心境。

壯為這個別號的由來，要從父親軍旅生涯說起。抗日時期，父親做過張自忠將軍幕僚，兩人關係匪淺。（初次見面時，將軍目視父親良久。最後，給了父親四個字的評語－「不亢不卑」。九零年代末，我的家人前往北京發展，將軍女兒張連雲女士幫助甚多）繼而，跟隨宋哲元將軍。再繼而，跟隨遠征軍司令羅卓英將軍，入緬作戰。軍旅期間，父親即喜歡寫字刻印，並且因為刻印，受到同袍引經據典的玩笑：刻印小事，非大男人所當為。（原典為「童子雕蟲篆刻，俄而曰：壯夫不為也」。見西漢楊雄《法言﹨吾子》）父親覺得有趣，便利用相同典故，起了別號壯為。表示：哪裡有壯夫不能為的事？既然有興趣，就要「壯而為之」，全力以赴。

說到狷夫先生的別號，那是出於《論語﹨子路》「不得中行而與之，必也狂狷乎！狂者進取，狷者有所不為」那句話了。狂者和狷者，絕對是性格相反的兩種人物。然而，狂者的「進取」和父親的「壯為」，是不是等義呢？什麼人物是孔子口中的狂者呢？有壯為父親的我，心中不免發怵！幸而，閱讀《孟子﹨盡心下》後，壓力便稍稍解除。原來，孟子心中的狂者，例如子張、曾皙（曾子父親）等，雖然行事特異，但是形象還算正面。並且，孟子還把狂者與狷者，分出層次高低呢。孟子說「狂者又不可得。欲得不屑不潔之士而與之，是狷也，是又其次也。」可見「進取」還是優於「不為」，優於「不屑不潔」；壯為的心境，還是略勝狷夫呢。

此亦謂「子為父顯」乎？大開兩老玩笑，盼父親與先生天上有知，不怪後生唐突。

無論別號如何南轅北轍，父親和先生終為莫逆。先生雖然以畫揚名，但是兩人交心處，應該還是在於書法。父親的書法，自二王與北碑入手，走著南北合流的傳統路子。而先生則獨厚明人法書，特別屬意傅山的大草字。可以說在形似與神韻上，都能夠得青主大要。這樣對單一古人心追手摹的書法家，可以說並不多見。因此，說到先生的傅山式草字，難免又要想到他的本名了。

先生自稱他的本名為傅抱青。但是我認為，這個名字應該也不是他的本名。因為，抱青充滿了文人雅趣；一般父母對小孩皆有期望，不會取一個太過典雅消極的名字。（傅抱青和傅抱石很接近，都有濃厚的隱逸思想。不過兩人沒有任何關係）所以我認為，抱青仍然不是先生本原名，而是另外一個別號。並且這個別號和他的書法愛好有關，和傅青主有關。當然，這純屬個人臆測。

除了書法外，先生主要以繪畫見長。他自稱發明「裂罅皴」畫石、「點漬法」畫浪、「染漬法」畫雲；不過，那是站在國畫立場的說法－總是要和傳統有一些接續。（就像李小龍，明明了結合了東西方的空手道和拳擊；但是他在香港發展時，還是不敢只說「以無法為有法，以無限為有限」那些話，還是要強調一下他和廣東詠春拳的關係）事實上，先生的繪畫遠遠超過這些「皴法」「漬法」技巧框架；而直接取法於觀察和寫生。因此，他的國畫很像西畫，很像水彩；特別是雲、水部分。這一點，極為類似水彩畫家馬白水；只是馬白水的水彩，有很重的國畫味道。兩個人的媒介雖然迥異，但是各自從其專業角度，融合了東西方的藝術特點。這種態度，是一種五四精神的延續。那個時代裡，徐悲鴻、林風眠固然有成就，但是後繼的有心畫家們，也思考著東西方的衝擊與融合問題。我認為，先生的藝術價值，應該從這個角度審視之。（傅狷夫、馬白水、吳冠中、趙無極、張大千等等畫家，都是五四精神的深思者。只是有的「中體西用」有的「西體中用」罷了。談五四，如果重學術而輕藝術，是一件不對的事情）

話說的嚴肅了，回頭講些輕鬆事體。先生和父親的關係很好，好到什麼程度？好到父親將母親介紹給他做學生。一個人讓太太喊朋友為老師，是不簡單的。這裡面，要有很寬廣的見識和心胸。因為，自己的太太喊朋友老師，自己的身份又將如何呢？不是平白矮了一輩麼？當時，先生白天在大專院校教課，晚間，在國立歷史博物館教課。母親加入他的學生之列，是一樁雅事，也有實際的作用。

關於朋友之間參雜師生關係，讓我想起秦孝儀和父親之間的一件往事。當年秦孝儀在總統府做蔣介石的機要，父親在總統府做陳辭修的機要。總統和副總統，各有機要室，機要不止一位，各司其職。父親因為以寫、刻出名，機要當的相對輕鬆。雖然地位很高，卻是一名清客；大家對他都客氣。秦孝儀則是另外的一種機要。（父親常常見他拿著大皮包，跟在蔣介石後面，汗流浹背）因為這一層的工作關係，秦孝儀希望他太太跟我的母親學刻印鈕。但是，為父親婉拒了。這件事情，表現出父親的個人風格；但是，對我年輕時候的事業發展，竟造成負面影響。

話雖如此，學習事情，終究是不能勉強的。母親怎麼對畫畫有興趣呢？原來，她自從與父親結縭後，便完全扮演著分享與襄助的角色－和父親一同優遊於寫、刻天地中。母親的藝術，原可分為兩部分。一是治印鈕，一是寫小字－兩項都和父親的藝事有關。尤其是雕刻印鈕，相當受到時人重視，以為可以承接清初周彬地位。寫小字，當然受到父親寫字的啟迪。然而這兩種藝術，都極為耗費眼力。因此，母親四十五歲開始，（民國五十年左右）便減少這些活動。也就是這個時候，母親跟猖夫先生學畫了。所以，對於藝術的愛好，是母親能夠長期從事藝術的動力。但是相對而言，畫畫比較不費眼力，應該是母親另起一種藝術項目的主要原因。（母親還是製作錦盒的高手。不少印章的刻家、藏家，以獲得母親錦盒、父親題簽為難能之事）

曹丕說：「文人相輕，自古而然」。但是曹丕不知道，一千八百年後，出了個藝術家王壯為－他非但不與同行相輕，還讓他的同道朋友，教家人畫畫。這種說法，並不誇張。因為，我二十三歲結婚不久，父親又將這個模式，如法炮製一番。那時候，我的太太初嫁王家，各種事情都感稀奇；對家裡的藝術氣氛，也有愛好。結果，父親就送她去跟王北岳學刻印；地點呢，還是在國立歷史博物館。（父親也許不以畫名顯，但是，他可是篆刻大家呢）至於我，同樣地不能例外。二十五歲時候，父親把我也送出去，交予企園先生習水墨。（鄔先生是吳昌碩最小學生）

父親的心量氣度，的確超過一般人。傅猖夫、王北岳、鄔企園三位先生，是他的朋友，也是他家人的藝術老師。父親算是把孟子的「易子而教」擴而大之，發揮到淋漓盡致了。

記父親王壯為的幾個老朋友（五）
王北岳

（完稿於 2012年9月3日）

王壯為（中坐者） 王北岳（右後者）

蒼竹印（王壯為刻）

曾經在文章中提過，我怎麼稱呼父親朋友，是不一定的；很多比父親小的朋友，因為禮貌，我也叫他們伯伯。但是，有一些人的年齡，比父親要小很多；那麼，我就叫叔叔了。例如寫、刻、畫界的張光賓、吳平、王北岳，我都稱呼叔叔。其中，王北岳比父親年輕二十歲。記得早期見面時候，他稱呼父親老師，讓我叫他「王哥哥」；他大我三十歲，哥哥二字，很難叫出口。後來，他稱呼父親壯公、壯老。我更不能叫他「王哥哥」，只能叫他王叔叔了。王北岳先生，是父親朋友中年輕的一位。

小時候，對王叔叔最清晰的印象，就是他手臂上的疤痕。那時候，我們還住在牯嶺街；左邊是台灣電力公司，右邊是何應欽官邸。我們住在中間，一棟有前後小院的日本房子。…父親、母親坐在藤椅裡，我坐在榻榻米上，聽王叔叔講那個疤痕的故事；那個場景，就像是昨日才發生一樣。

事情是這樣的：五、六十年前，台灣流行狂犬病，母親千叮萬囑，出門不可以碰流浪狗。（那時稱為野狗）看見狗流口水、目光呆滯、走路歪斜，一定要避開。小孩子對這種事，聽著都覺得可怕。然而，這種可怕的事，竟然讓王叔叔碰到了。有一天，他從宿舍出來，（應該是台肥公司的宿舍）在門前遇到流口水的狗！王叔叔發現時，那隻狗已經走到他的跟前，並且準備要咬人。王叔叔想踢牠，結果那隻狗跳起來，咬了他的手臂。五、六十年前，電話、出租車都不普遍。王叔叔想坐三輪車去醫院，但是，評估要花不短時間。為了保命，他的處置方式，竟然是回家點起一把火，用火燒自己的手臂，燒那個被咬的傷口！他說他快疼死了，我聽的也快嚇死了。但是，這個故事我百聽不厭。他每次來，都要他講一遍。

> 王叔叔故事精彩，還有客觀環境配合呢。原來，當時有個三十分鐘黑白電視影集。(應該是希區考克導演的－記不大清楚了）其中一集，就是講瘋狗的故事：母親和小孩，看見一隻瘋狗，從遠處向他們家走來。劇情張力，簡單集中在母親的驚慌失措和瘋狗的緩慢步伐上。最後一刻，救援到了，槍聲響起，瘋狗倒地！想想看，耳朵聽著王叔叔講故事，腦子想著影集中的畫面；以一個稚齡小兒而言，那可真是刺激極了。

對於這個故事，父親曾經表示：王叔叔很勇敢，一般人做不到。同時他也說，古時候有壯士斷腕的說法，和王叔叔拿火燒自己很類似。壯士斷腕，算是我很早學到的一個成語。後來，到了上高中罷；才知道壯士斷腕的前一句，是蝮蛇螫手。

王叔叔跟我們家同鄉，都是河北人。他本名王澤恆，北大園藝系的高材生。對於寫、刻，都是自己培養出來的興趣。中國有「南人北相，北人南相」的說法。王叔叔是典型的北人北相；大個子四方臉，粗獷的很。可是呢，他的書法與篆刻，都可以用一個「秀」字形容。藝術，有秀美（graceful）和壯美（sublime）的分別。兩者之間，沒有軒輊；人對於美感，本來就有不同傾向、不同需要。然而，王叔叔的秀美藝術，卻總是讓人會心一笑。因為那種藝術風格，和他的外型，實在很不相稱。(我對他說過很多次，想看他留連鬢鬍子。他卻總是把臉刮的很乾淨）王叔叔並不保守，他也是勇於創新的藝術家；曾經嘗試在磚、瓦、陶甚至塑料上寫、刻。可是，無論如何變換媒介，他的內心秀美氣質，總會不經意的流露出來。這種「猛張飛從事細緻活兒」的矛盾感覺，讓見過他的人，能夠很快記住他的藝術。不過話說回頭，外型和心性相反的情況，在藝術人物中，也並不少見。

除了寫、刻以外，王叔叔很熱中寫刻藝術的推廣。當年，他在大學中教授寫字刻印，在家中也有很多的學生。可以說，他的學生比其他任何寫刻家都多。關於寫字刻印，這種傳統藝術的扎根工作，王叔叔絕對出了很大力量。父親對於他的這種熱情和能力，很表贊同。並且說過「王澤恆有本領，他是我們這一行的組織家」，這樣的話。

寫刻家多半喜歡收藏古人的寫刻。王叔叔的收藏，集中在圖章方面。他的收藏，可以分階段。一段時間，王叔叔常拿一些古銅印給父親看。父親是故宮博物院的顧問，可以給他點意見。又有一段時間，王叔叔喜歡收「印面」；也就是不論石材好壞，只要是名家所刻，都列入收藏之列。當然啦，「印材」的收藏，才是圖章收藏界的主軸。各種名貴材料：芙蓉、雞血、田黃等等，可以讓名家篆刻與之相得益彰。王叔叔最喜歡白芙蓉。他握著喜愛的白芙蓉，臉上那種滿足和陶醉，我記憶尤深。父親也喜歡芙蓉。我個人以為，芙蓉和田黃不同。田黃富貴，芙蓉清貴。其間的差別，也就是喜愛者的人格差別。

> 年輕時候，慷慨激昂。曾經說過「獨獨收藏印材，就是不重視印面。就是看重材料價值，輕視藝術價值。就是輕視藝術，輕視藝術家」。如今年屆六十，不再說這樣的話了，不過，心裡還是這樣想。

就是因為喜歡圖章；喜歡到處去看圖章、買圖章。王叔叔跟父親、母親結下了離奇緣份；那就是五十年前發生的，真實「石證三生」事件。

民國七十三年，《美哉中華》曾報導此事，題目為〈三生石證新傳奇〉。「石證三生」，是晚清宣鼎《夜雨秋燈錄》〈瘋瘋女邱麗玉〉中，麗玉父親說的一句話「今得紅絲牽引，文星惠臨，是真石證三生」。

這個五十年前的「石證三生」事件，要從將近八十年前的老話說起…民國二十六年，蘆溝橋事變前，父親在北京市政府做事，與同事張君交情深篤。張君表示，有妹妹二人，待字閨中。長妹名蘊玉，幼妹名藏珠。父親當時有成家打算，便開始往張府走動。最後，終於得見長妹蘊玉。父親對於蘊玉，相當有好感。無奈，蘊玉對於父親，感覺不甚強烈。在郎有情妹卻無意的情況下，這個故事便當結束。然而，中間人張君感到尷尬。便與父親說，還有一個妹妹藏珠嘛，要不要看看呢？在這種奇異的氣氛下，父親又見到了張君的幼妹－藏珠，也就是我的母親。根據後來父、母親的說法：母親對父親的初次印象還可以，但是父親對母親的初次印象，竟然是「嚇得要摔個大跟斗」。原來那時候母親很胖，腦子裡都是蘊玉的父親，對於這個胖藏珠很有成見。但是，愛情的箭，終於射向二人啦。母親慢慢變瘦，慢慢變成一個有名的大美人。這段「嚇得要摔個大跟斗」的事情，也就變成日後二人調侃時的基本話題了。

父親出生在前清時代，保有很多舊時文人習慣；對於個人的名號，很有興趣。本來母親姊妹名字蘊玉、藏珠便已不俗。但是，父親還是替母親取了一個和藏珠諧音的「蒼竹」，做為別號。（河北易水話，發音為「ㄘㄤ ㄓㄡ」，父親一輩子都喊母親「ㄘㄤ ㄓㄡ」）並且，刻了朱文的「蒼竹」小印，從北京寄到保定，送給母親做為定情物。結果，這個小印，母親在保定遺失了。（抗戰爆發，兩個人從軍、逃

難各奔西東；幾經轉折，終於在江西結婚；沒有多久，父親參加遠征軍入緬；歸來後，兩個人又到重慶，到廣州，到台北）

遺失「蒼竹」印的這個事情，早就為父母親忘記。誰知道，「石證三生」，命中註定。民國五十八年，過年時候，王叔叔在中華路古董店裡，竟然看見了這個印。並且將之購回，送還給父親。（當時，中華路上有八棟四層大建築－中華商場。民國 50 年啟用，81 年拆除。該古董店，就在中華商場裡面）這個事情，真是太離奇了。在保定遺失三十年的小印，如何為人拾獲？如何到達台北？如何進入中華商場？又如何，被王叔叔看見，將之物歸原主？中國人說造化弄人。不過這件事情，恐怕不是由造化（probability 機率或概率）能夠解釋清楚的。無論如何，「蒼竹」小印，就這樣回到父親手上；由父親再次的交給母親。

「石證三生」是一種文學上的譬喻，表示海枯石爛，情緣不滅。但是，父母親的那方「蒼竹」小印，卻不是一種譬喻。它真真實實的，以一塊小石頭，印證了父親母親的感情；在離開他們三十多年後，飄洋過海，回到他們手上。如果，「蒼竹」小印，是那個「證三生」的物證；那麼王叔叔呢？他是那個「證三生」的人證麼？父親、母親與王叔叔，都已離開人世，徒留「蒼竹」，尚在塵間。他們三人，常在天上談論此事麼？他們三人，常在天上遙望那個「蒼竹」小印麼？

我的記憶中，爸爸去世時候，父執行三叩首大禮，放聲大哭的，是王北岳叔叔。除了他以外，行三叩首大禮，放聲大哭的，還有張光賓叔叔。

淺談我父親王壯為
（完稿於 2004年10月日）

我的父親王壯為在台灣的書法篆刻界，有泰山北斗的地位。談他書法篆刻的文章不少，關於他書法的碩士論文，也在民國 86 年由林世榮先生完成。古人說知子莫若父，其實知父也莫若子；這是因為長久生活的緣故。也許我對於父親藝術的看法，有我一偏之見。

我父親是一個最用功的藝術家，這一點，可以由他的生活上面看出來。父親每天早上六點鐘一定起床，他有時候會自己打掃院子，做一點清潔工作。一天當中，除了三餐，父親大概生活分配成幾部分：讀書，作詩，寫字，刻印。在這幾種工作中，他是真正樂在其中。他有一句很有名的話「換工作就是休息」，他確實能夠在讀書，作詩，寫字，刻印這四件事中，換著事情做，不停的工作。

藝術家常常喜歡談才氣這件事。印象中，父親很少說這些事情。他很認同藝術是由技術而來，是技術精煉昇華的說法。因此，大量時間的工作和鍛鍊，是藝術發出光輝的不二法門。藝術是佔有空間的一個實體，是由人做出來的；不是言談，理論，空想堆砌起來的。父親不是一個浪漫的藝術家，他是一個嚴格的藝術家。

或許因為他的嚴格，他不願意他的藝術有非常大幅度的創新。他要一步一腳印的，通過點點滴滴的生活，和生命體驗，寫他的字，刻他的印。這種態度是非常傳統的藝術態度。那就是藝術不談創作，藝術講表現。

在重表現的態度下，作為一個藝術家，不需要為了對社會有所「交代」，而不斷的推陳出新。不需要無中生有的，絞盡腦汁的，為了和別人不一樣，而痛苦的創作。藝術家需要在掌握技術之後，好好的生活，用心的生活。然後將他對於人生的各種看法和體驗，通過他所熟悉的藝術方式，表現出來。這種藝術家的生活快樂而有趣，他們因為年齡、閱歷的不同，而展現出不同的藝術內涵。（而不是為了「盡義務」與「交代」，而創作出來的內涵）這種內涵，才是藝術在形式之下的感人內容，而非令人耳目一新的形式而已。

父親因為有這樣的體會，他不大講究創新；他的新，出自於對生命的新體會，而不是刻意求新。因此，他給自己起了一個號，稱作「漸齋」。就是闡明這種藝術要和生命結合，漸漸的體會，漸漸的表現的道理。

上面說的，是我對父親的觀察和了解。這些了解，對於我的藝術觀，也有很大的影響。父親是一個很值得懷念的人物。

王壯為的藏書

（完稿於 2017年9月11日）

父親王壯為的書，終於有落腳地了。它們棲身台灣藝術大學圖書館，供學子學人閱讀。台灣藝術大學為這批藏書製作了目錄，要我在前面寫幾句話。校方大概認為，作為書籍的捐贈者，或者知道些特別的事。我便就記憶所及，隨便寫寫，算是關於這批書的一種口述歷史罷。

這批書，之所以選擇存放台灣藝術大學，是有原因的。因為父親早在 1950－60 年代，曾經於此教書。當時，學校叫做台灣藝術專科學校，校長是張隆延（1957－59）和鄧昌國（1959－65）。父親的書，放在他教過的學校中，是他與學校感情延續，也是他與學子學人的溝通方式。

父親民國前三年出生，自幼喜歡各種藝術。抗日戰爭時，追隨張自忠、宋哲元將軍。最後以羅卓英總司令幕僚，參加遠征軍進入緬、印。來臺後，擔任陳誠先生機要，任職行政院長秘書室及總統府副總統機要室。父親是舊式文人。在軍、政工作時期，寫、刻藝術就受到

重視。（台灣銀行、土地銀行、胡適墓誌等重要文字，都是他所書寫。印章作品，也常常做為國家外交禮物，致送他國元首）

傳統的舊式文人，有一種相對固定的生活模式。那就是，讀書、做官、退隱。古代中國的大部份藝術家，都是文人，也都是官員。這種藝術家的特色，在於不以藝術為生計；可以單純地借藝術表現自我，而不受商業操縱。這是中國與西方藝術的最大差別。只是時過境遷，傳統社會已經消失，傳統文人已經消失。父親是那個時代的最後文人藝術家。文人藝術或者文人藝術家，已經是一個過去式。

在藝術史的標準下，文人定義的標準下：很多現代甚至民國以來的藝術家，雖然有心繼承文人藝術，但是因為以藝術為生，都成了專業藝術家，而不是文人藝術家。非文人從事文人藝術，自然變調。

既然不以藝術謀生，文人藝術家便不視藝術為生活中心，而視藝術為生活紀錄。這種態度，令藝術家的養分來源極為廣博。最重要的即是歷練與讀書。石濤說「筆非生活不神」，杜甫說「讀書破萬卷，下筆如有神」，也就是這個意思。舊式文人多出身官場，歷練不在話下。另外一部份，就是讀書了。

這種廣博涉獵與否，是舊式、新式藝術家的不同。我們可以說新式藝術家更專業，我們也可以說，舊式藝術家更專業。這種說法一點不奇怪，只是看藝術家有多大理想，多大氣魄，最後的目標又是什麼了。

父親都讀什麼書呢？簡單講，就是興之所至，無所不讀。凡舉與傳統藝術相關的書籍，儘量網羅蒐集，奮而讀之。那麼多的書，讀得完麼？記得住麼？父親有一句好話，（也刻成一枚印）叫做 「多讀補多忘」。忘了再讀，可以有讀新書的樂趣。

事實上，要成為思想深刻的藝術家，除了藝術書籍外，凡舉天文地理、經史子集都應閱讀。吸收諸種與藝術無關知識，會豐富人格見識，而在藝術表現上收到融匯貫通之效。（這樣具廣博知識的藝術家，西方以文藝復興之達文西 Leonardo da Vinci 為最，東方以漢代之蔡邕為最。只是，中國始終沒有給蔡邕應有的藝術地位）

父親生活規律。每天輪流做四種工作：寫字、刻印、讀書、作詩。在這四種工作之間，他就聽收音機新聞，或者拆牌（一個人玩的撲克遊戲）消遣。這樣準確分配時間的人，大概不多。因此，他又有一句好話，叫做「換工作即是休息」。父親幾十年間，就這樣在寫字、刻印、讀書、作詩四種工作之間遊玩著。日復一日，樂此不疲。頗有孔子「游於藝」的味道。

我小時候，就聽人談論父親，說他是讀書最多的藝術家。父親曾經痛罵一位藝界友人，說他不肯讀書。當時父親已經六、七十歲。這樣年紀的老人，還認為不吸收知識值得痛罵。可見他對讀書重視之一斑。

王壯為的書，總略而言與藝術相關；細分之下，書、畫、印、詩（文學）佔大部分。這些書籍有純為文字者，有的屬於圖錄。它們是父親幾十年來的心愛之物；最早一些，是民國時期購置，從大陸攜帶至海南島，從海南島攜帶至台灣。那個兵荒馬亂時代，哪個不收拾些細軟？帶上兩箱書，隨時準備以書相殉的，應該不多。讀書、藏書本是一件事。這件事，因為社會變遷，現在也已少為人所聞問。

書籍的收藏，當然是積少成多。當書籍多到一定程度，怎麼保存（保養）便是問題。在台灣，父親曾三次遷居，與書多少有些關係。1950 年代，我們住在台北市牯嶺街，一棟日式房子裡。日式房子沒有固定隔間，地板上設有軌道，裝上紙門後，便可以劃出區隔。父親在客廳旁邊，有一塊區隔，是他工作的地方，勉強是個書房了。印象中，家裡的書都放在父親書房裡，屋子的其他地方，是不放書的。我當時一介小童而已，每每到了父親書房，便有轉不開身的感覺。父親的書桌四周，完全為書所包圍。若打翻東西，更是不得了的事情。那段時間，書籍如何放置，母親大概有相當意見。

1960 年代，我們搬到台北市金門街。那是一棟四層公寓的二樓。在那裡，父親正式有了書房。但是，書籍也漸漸離開書房約束。記得在飯廳和客廳之間，有一個櫥櫃。櫥櫃上層是酒，下層是書。不過因為母親的管理，大部份書籍，還是在父親自己書房裡面。書籍在我們家，尚不是一個大問題。

1970 年代，我們再次搬家，住到台北市郊區的一個山坡上。那個房子比較大，有院子，兩層樓共六個房間。剛剛入住時候，還有些富餘，不致把東西堆滿。這樣的大空間，給了父親放書極大自由，也給父親添購新書極大自由。這樣的大空間，造成一種假相－似乎怎麼放東西，也不至顯得凌亂。這種假相，讓母親不再多表意見。等到假相成為真相，書籍已經充斥任何角落，想要使之回歸書房，已不可能。

搬入新居後，父親有個十坪左右書房。去過的人都知道，四壁圖書是不能形容的。除了四面有書架書櫃，桌子上面、下面、旁邊，也都堆滿了書。

那個房子裡面，除了書房以外，玄關有書櫃，客廳有書櫃，過道間有書櫃，飯廳有書櫃，臥房也有書櫃。至於可以放書的各個桌面，檯面，也是書籍充斥。這時候，母親能夠做到的事，只剩下勤於打掃，保持整潔了。書籍在我們家，開始成為一個大問題。

1998 年，父親九十歲過世。經過幾年調整，大家心情逐漸平復。母親很希望搬去小點的房子住，一來容易清理，二來不必睹物思人。這個念頭存在許久，始終不能達成。因為這個堆滿「文化財產」的家，已經無法動彈了。一般的房子，根本存放不下這些書籍。幾經思考，還是維持原狀，繼續與書為伍。

父親逝世後，母親花了很多時間整理舊物。然而，範圍限於父親的作品與收藏。至於書籍部分，則沒有任何移動清點。它們與父親生前的擺置，沒有絲毫不同。這些書約有四、五千冊，其中精裝與畫冊不在少數。僅以重量而言，大概就要以噸來計算。我們與這些「文化財產」繼續相處十五年，直至母親也以九七高齡過世。

母親不在以後，房子裡只剩下我和太太兩個人。兩個人住七、八十坪的房子，完全沒有必要。搬家的想法，便又出現。這樣大的一個家，如何搬動呢。想來想去，我們認為書籍還是基本問題。然而在完全沒有清點的情況下，搬到別處，仍舊是一團亂絮。

這個存在四十年，無人敢面對的難題，最後由我太太王美祈解決。她一肩扛起整理與編目工作，在母親之後，對家裡的「文化財產」繼續作出重大貢獻。這件事絕對非同小可，她工作的時間長達兩年：將父親的書籍完全瀏覽一遍，去除上面的厚重灰塵，（包括蟎魚）把性質接近的各自分類；所有的作者、出版時間、地點，以及父親的印章、簽註、筆記、短文逐一登錄。較為不重要的部分淘汰之後，完成一部三千多冊書籍的完整目錄－包括原來放置在樓上樓下，哪個房間，哪個櫃子裡。（完成書目後，我們便「逐步地」「分段地」搬離那個大房子了）

經過整理後，我們發現這批書籍的一個大特色，就是王壯為本人的墨跡留存甚多。父親是書法篆刻家，他的墨跡自然重要；但是，這些墨跡不僅僅是書法而已－裡面有他關於藝術思想、藝術批評、藝術鑑定的大量資料。可以說，父親把書籍當成他的筆記本，隨看隨寫，隨想隨寫。這種讀書的方法，當然是一種舊式的方法。

發現藏書中的大量墨跡，是王美祈的功勞。美祈與我十八歲相識，二十二歲結婚。婚後跟母親學國畫，跟父親學刻印。曾經在台灣師範大學教授華語十四年。這種種經歷，使得她對傳統藝術瞭解深刻。也使得她在編輯目錄時候，對於書中各種先人遺留，能夠留意、鑑別與採集。這種精密的登錄，絕非現代圖書館員可以作到。因此，父親的藏書，因為美祈的整理，才能順利交付給台灣藝術大學；這本目錄，才能夠順利問世。

父親的藏書有了歸宿，了我一個心願。台灣藝術大學，得到關於文人藝術專業典藏，也是值得高興。這批藏書的價值，在於王壯為的蒐集與研讀，也在於兒媳婦的整理與登錄。他們兩個人的名字，應該和藏書永久並存。至於我這個捐贈人麼，不過是個掛名的隨緣漢罷了。

嚴師門下

（完稿於 1992年8月30日）

一九九二年八月十六日，在台北王壯為先生家中，有一次藝術界人士聚會。與會人士皆有同門之誼；而聚會目的，是談大家的老師王壯為先生。這批同門之中，大多數都已四，五十歲，並且是壯為先生分別在師大，以及家中所收的學生。今日，大家在藝術領域中，都已經卓然有成，卻聚於一堂談老師；應是「同學會」中較少見的一種方式。

同門中，部份長年親往壯為先生家中，請益書法與篆刻，自然與老師相處時間多，感情亦厚。而另一部份，則是大學中的所謂「課堂弟子」。如何在三十年後，學生仍對當時授課一年的老師，念念不忘，倒是耐人尋味了。

壯為先生的書法、篆刻名重當代藝壇。然而藝術畢竟是個人事業；好藝術家不一定是好老師。學生敬愛老師，除去佩服老師的藝事之外，主要是來自精神上的感召。來自老師學生之間的一種傳統關係。

在傳統的師生關係中，老師非但授業，尚須解惑傳道。並且，還要在日常生活中照料學生。在這樣的關係裡，也許我們可以多少了解，那種我們非常難以了解的「事師如事父」，甚或「天地君親師」的古老情懷罷。

學生說壯為先生是嚴師，其實他亦是嚴父。嚴師嚴父間的距離，並不很大。一個「嚴」字，不過是出自責任感使然。責任感，使壯為先生在藝術上一絲不苟，也使得他在講堂與家庭中嚴厲。責任怕是各種傳統關係中，一個十分重要的環節。當然了，這種傳統關係，也是使我這個做兒子的，必須自小呼他的學生師兄師姐，並且寫這篇文章的原因。

有人戲稱台灣的傳統書畫界，有所謂「四大堂口」。也就是大風堂，白雲堂，寒玉堂，玉照堂。四堂號中，張大千，黃君璧，溥心畬三位先生擅畫，而壯為先生以書法、篆刻馳名。雖是戲言，四位先生在當代書畫界的代表性，以及深遠的藝術影響，卻都是無可置疑。他們的特色，都在於他們非僅是好藝術家，亦是好老師。他們都有辦法，在學生彼此間形成精神上的凝聚力，進而形成藝術風格上有傳承性的共同性格。四位先生傳藝學生，亦獲得學生們的一世尊敬。

走筆至此，忽然想到行將進入九月，九月份是紀念中國偉大老師的月份。在替我父親高興他是一位成功老師之餘，不禁想到數十年來他與學生間的相處情形。也不禁想到「君不君則臣不臣，父不父則子不子」的老話了。我們的教育界，在大嘆「師道蕩然」之際，是不是除了強調我們失去了好品質學生之外，也可以深思深思，我們是不是也失去了一些其他東西。

漸齋漸老－紀念我的父親
王壯為先生

（完稿於 1993年4月13日）

在傳統的中國社會裡，寫字刻印是文人怡情悅性的消遣。其中有些書家刻家，比較鄭重其事，藝術的成就超過事功，因而以寫、刻留名後世。雖然在態度上，他們都是業餘的藝術家，但是，這些寫、刻家的藝術修養和成就，卻又是十足的專業水準。這是因為關於寫、刻的興趣和技術，在文人家庭中多半從小培養，書法尤其是如此。在科舉時代，任何一個文人都必須寫一筆不差的毛筆字。當然，要成為書家，就不只字要寫得好看，還要建立自己的風格了。父親也是在這樣的環境中長大，從小由祖父林若公教授寫字與刻印。在四川時候，與沈尹默先生的師友交，則是以後的事情。

不過，如果對藝術的愛好僅止於此，父親只是一個精於寫、刻的文人了。然而，他不是一個囿於儒家傳統的守舊文人。因為在精神上，他是一個以藝術創作為生命所寄的現代藝術家－雖然他的表現媒介，非常傳統而有侷限性。

父親對藝術的愛好，很小的時候就表現出來了。特別的是，他最初的興趣是西方藝術。河北省易縣，王家算是最有錢的人；在省城裡也有幾間鋪子。因此，民國初年時，父親已經透過城裡親戚關係，看了一些簡單介紹西方藝術的書籍。隨後便前往北京，報名了一個由台灣人開的美術學校。

因為受到日本統治，關於西方藝術，當時台灣在全國，是頗得風氣之先的。教授西方藝術，在民國初年的北京，應該也是一種新鮮時髦的行業。

父親也就在那裡，津津有味的畫起西畫來了。他最喜歡的是粉蠟筆畫。至於他為什麼後來放棄了西方，而投入中國藝術世界，他也說不很清楚。不過，在那個東西文化劇烈衝擊的時代，父親的例子並不特殊。

我的母親會畫畫，但是她最擅長的是印鈕雕刻。她的作品不多，完全是傳統的風格。仿周彬的作品幾能亂真。而我也看過父親刻的一個印鈕。是他二十幾歲刻的。印大約只有兩公分高，不及小指粗細，印鈕上刻了龍和兩種貝殼。刀法細緻極有生氣。但是在設計安排上，卻又少有中國味道。或者，這是西式藝術訓練所留下的一點痕跡吧。

父親是傳統的中國藝術家，隨著社會變遷，他是最後的少數文人藝術家。他善書善刻，能詩能文，而且感情非常豐富。記得我們家以前有一隻小狗，那隻狗總是在父親鞋子中撒尿，因此父親極討厭牠。有一天小狗被人毒死，母親特別叮囑我，要說小狗是自己跑走的，以免父親難過而受不了。父親喜歡吟詩，可是我從小就怕父親吟詩。其實，我很喜歡父親吟誦的調子，只是怕他突如其來的嚎啕大哭。小孩子總是怕大人哭，尤其怕一個大男人哭，總以為有不得了的事發生了，後來見父親哭完之後，擦擦眼淚說幾聲「好詩好詩」，也就沒事了。才知道一個男人哭，是有許多原因的。

除去為藝術所感動之外，在記憶裡，父親有幾次因人而痛哭失聲。一次是在我很小的時候，我跟父親打鬧著玩，結果父親把頭撞在柱子上，而大哭起來。我一直問他疼不疼，他當時說「很疼很疼」。好久以後，他才說「我是忽然想起我的母親啊」。年紀已經五十多的父親，竟然因為撞了頭，而像小孩一樣想起媽媽，是一件我不能忘記的事情。另外一次父親哭，是去祭陳辭公的時候。那一次的印象也非常深刻，因為行禮之後，母親在馬路上哭了起來，父親勸她不要哭，結果自己哭的更傷心。至於後來父親大哭，則是前幾年去弔大千先生的時候了。

父親喝酒出名。人喝酒的原因不外乎二：一是有量，有量的人，自然有人來找喝酒。二是有膽，有膽的人就會自己去找酒喝了。不過無論有膽有量，多少都有一點遺傳上的關係。據說我的祖父林若公就能喝酒，並因喝酒而死。父親的酒名，幾十年前就已經不小。那時候，他還在師範大學教書，幾個善飲的朋友，就相互謔稱為「酒聖」「酒仙」「酒人」，與「酒徒」「酒丐」「酒鬼」。我記得父親是「酒人」。喝醉而尚能維持人形，亦算得飲酒之道矣。

喝酒終是難免喝醉，醉後便難免失態。有一次父親喝醉了，在家中大聲呼喊。那時候他的小孫女，只有一歲多。見此奇景，便與爺爺相互嚷叫對抗，而了無懼色。相互「叫陣」之下，父親的酒大約是醒了一些，連說了幾聲「好兇好兇」就去睡了。第二天，小孫女就有了爺爺給她刻的第一方印－嚣妹。

父親與臺靜農先生，是好朋友兼好酒友。記得他常常告訴我，他最尊敬臺先生的道德。而當時八十八歲高齡的臺先生，身體健朗無比，更是極為父親所羨慕。凡是二人一起喝酒吃飯，回家後父親必要大大感慨一番。表示身體不如臺先生，酒也喝不過他了。

既然喜歡飲酒，自然就有人會送酒，這些酒，幾乎都是寫字換來的。父親的寫、刻，一向有個潤格；熟朋友間，有時候也就以酒代替了。記得以前有一兩年的冬天，父親還在報紙上刊過廣告。大意不外乎是「天氣冷啦，又是老人需要酒的時候啦。要我的字的人，可以以酒交換。如無酒，則以白銀相易更妙，云云。」類似這樣的廣告，好像剛故去的陳定山先生也是刊過的。

父親的記憶力，一向不是很好，尤其是對於一些他不想記住的事。近年來，他的記憶更是衰退厲害，無論想記或是不想記的事，他都記不住。他喜歡讀書，但是現在幾乎過目即忘。這件事對他的好處是－手邊總有「新書」可看。

大約七十歲以後，父親忽然對佛家的頓漸之說感到興趣。他以為，頓不過是漸的累積而已。若是太過期望「頓」的出現，反倒不如安靜地品味「漸」的細水長流。有了這種想法以後，他就開始用漸齋這個別號；並且刻了一方印「漸齋漸老漸通全」。

父親漸漸的老了，是個不爭之實，是不是也漸漸通全了呢？我並不是十分清楚。一來通與全的定義都難妄下；二來，既是漸漸的通全，那麼在邏輯上，他應該是越來越通全，但是永遠也不能通全的。所以我常用《莊子》上說的「一尺之棰，日取其半，萬世不竭 」的故事，和他的「漸漸主義」開玩笑。不過父親漸漸哲學之最高發揮，還是在對付他的壞記性上。他的另外一個號「漸忘老人」，說的就是這回事－把生命中的一切可喜可悲，都漸漸的忘記。不僅僅是心理上的忘，更是真正地，生理上的，完全遺忘。這種好像是看夕陽一樣的浪漫，不是三十歲的我所能夠體會。不過，我亦了解，漸忘似乎是一個不錯的通全之道。

有一年夏天，我從美國回來看父親，幾乎每天都與父親小酌一番。既然飲酒，自然無話不說。一天飲酒的時候，父親忽然對我說，「我不記得你是這樣有議論而好講的」。我感慨良多。不知道應該為父親年紀大的忘事而悲，還是為他的「忘境」而喜。或者，他並沒有真正忘記兒子的性情，只是暗示兒子應該回到身邊？有一個「漸忘老人」父親的我，也漸漸地學會，不去深思這樣的問題了。

一位藝術家的傳統妻子
—側寫明隋夫人
（完稿於 1992年4月19日）

我的父親王壯為，臥病已將近一年時間。一年來，不少親朋好友問候他。同時，亦有不少熟知家中情況的人，對我母親表示慰問；因為她實在太過辛苦。父親的病須要長期療養，他的進食、清理、復建等等，幾乎由母親二十四小時包辦。這種情形，一則來自父親對母親的需要，二則也來自母親的堅持。二人鰜鰈情深，作子女的看在眼中，卻是憂喜參半，其中況味外人難以體會。因為母親身體雖然健壯，畢竟也已經七十六歲了。

母親出身將門。外祖父張潤生將軍，畢業於保定軍校八期，早年與羅卓英將軍，陳誠將軍結拜兄弟；而外祖父為三人中的大哥。雖然出身軍旅，外祖父是一位讀書很多的標準儒將。因此，母親與長她幾歲的姊姊，都有一個文化氣味極濃厚的名字。母親是「藏珠」，阿姨是「蘊玉」。

母親畢業於保定師範，曾在廣東教書。作家白先勇，是她教過的小學生之一。

由於一音之轉，也有人稱母親為「蒼竹」。不過，為人知曉，特別是老一輩印章收藏家熟悉的，是母親的另一個名字「明隋」。因為母親在三、四十年之前，以善治印鈕著名。「明隋」這個名字是父親取的，典故出自於《淮南子\覽冥訓》。說的是隋侯（一姬姓諸侯）因為救了一條大蛇，蛇即自江中銜出大珠以報；名為隋侯之珠，又稱明月珠。這個典故裡，「明隋」把「隋侯」，「明月珠」都用上了；況且母親又正是生肖屬蛇。母親非常漂亮，幾十年前藝文界中「明隋夫人」的名號，亦是十分響亮。

母親的小楷甚好，也曾隨傅狷夫先生習畫多年。然而寫字畫畫與刻印鈕，都甚耗費時力，除了應邀參展趕出作品，或偶爾治一印鈕，對小孫女表示疼愛之外，近年來，已極少時間分配在她喜歡的藝術工作上。照顧父親與持家，是她生活的全部重心。

母親便是這樣一個人，她有良好的家世，受過好教育，有藝術上的才情，但是更有傳統婦女的美德。在輕重權衡之下，總是為丈夫，家庭而放棄自己的理想與喜好。在母親節的前夕，我寫這一篇短文，祝她快樂，也對她多年來為父親為家庭所作的奉獻，致上無限地敬意。

錯誤示範—關於梁啟超兩篇論藝術文章之研究

（完稿於 2005年10月9日）

楔子

梁啟超是清末民初的傳奇性人物。他以一介書生，大膽的參與當時政爭，成為戊戌維新運動領袖之一。曾經為光緒帝召見，奉命賞六品銜，奉命辦理京師大學堂譯書局事務。民國以後，他提議「虛君共和」，一意保皇。爾後又支持袁世凱，反對袁世凱，依附段祺瑞對抗黎元洪。段祺瑞掌握北洋政府大權後，梁啟超因為擁段有功，出任財政總長兼鹽務總署督辦。段祺瑞為孫中山發動護法戰爭而被迫下臺後，梁啟超隨之辭職，退出政壇。

梁啟超在政治上的經歷，也許過於反覆，但是梁氏在這樣繁重的社會活動外，並沒有放棄文化與學術上的工作。他的著作量非常大，尤其晚年遊歐返國後，著作了《清代學術概論》、《中國近三百年學術史》、《先秦政治思想史》、《中國歷史研究法》、《中國文化史》等關於中國舊學問的書籍；使得梁氏在政治家、報人、社會活動家、學者等範疇中，都享有大名。梁氏因為多才與興趣廣泛，身後很難對他的各種表現予以妥貼的定位。一般而言，社會上總以國學大師梁啟超稱呼之。

梁啟超有一句名言，他說他的文字是「筆鋒常帶感情」，並且有一種「魔力」；當時號稱「新民叢報體」。原文為：

> 條理明晰，筆鋒常帶情感，對於讀者，別有一種魔力焉。
>
> （梁啟超〈清代學術概論〉）

他的這種文體，在主觀上當然是梁啟超的個人風格之表現；在客觀上，其流行的原因，也是因為清末民初一切都講革新（無論改革或者革命），梁啟超的政治知名度也帶動了大家對他文字的興趣。然而，這種「筆鋒常帶感情」的寫作態度是一種藝術態度而不是一種學術態度。作為藝術家（文學家）梁啟超，他的「筆鋒常帶感情」的確可以打動讀者的心弦；那是他成功之處。但是梁啟超在談學術的時候，也「筆鋒常帶感情」；他在應該以理服人的場合，也企圖以情服人。如果梁氏為文之時明白這一點，那麼他是利用感情作為一種講理的手段；如果他不明白這一點，那麼他被自己的過多感情所控制了。這個問題，是梁啟超學術的一個大問題。

梁氏曾經說過：

> 天下最神聖的莫過於情感。…用情感來激發人，好像磁力吸鐵一般，有多大分量的磁，便引多大分量的鐵，絲毫容不得躲閃。所以情感這樣東西，可以說是一種催眠術，是人類一切動作的原動力。（梁啟超〈中國韻文裏頭所表現的情感〉）

天下最神聖的事情是否為感情，可以再細細的討論。但是，梁氏如果認定「所以情感這樣東西，可以說是一種催眠術」，那麼他的「筆鋒常帶感情」便是有意識的要催眠別人。以梁氏的這種講感情便是施以「催眠術」的心態，他可以正如其身份的，做一位好文學家；甚至一位好宣傳家。但是，作為學者梁啟超，他應當收斂起他的感情與催眠術。因為藝術或者是一種催眠術，但是學術絕對不是催眠術。

梁氏出身新聞界，一生著書立說一千四百萬字；為文範圍極為廣泛。不過他的研究重點，現實上，政治談得多；學術上，歷史文化談得多。藝術可以算是歷史文化的一部分，不過對於藝術，特別是以藝術為題目，他並不是談論得很多。或許正因為他談得不多，比較少人去注意梁氏的論藝術文章，與其中的問題。他對於藝術的研究，無論其知識、方法與心理，都有很大的檢討空間。

梁氏關於藝術的言論，可以下面的一個小例作為引子，來了解他對藝術的態度與其為文的風格。他說：

> 我確信「美」是人類生活一要素，或者還是各種要素中之最要者，倘若在生活全內容中把「美」的成分抽出，恐怕便活得不自在，甚至活不成。（梁啟超〈美術與生活〉）

梁啟超的這段話，當然是將美視為人生很重要的因素，但是他說若是沒有美就「活不成」，就讓人想到一個濫情的藝術家，而很難和一個學術家聯想到一起。沒有「美」的生活確實枯燥，但是絕對沒有人因為缺少「美」而活不成。甚至，即便一位濫情的藝術家，也不會活不成。

梁啟超的這種筆法非常有力；對於一些愛好藝術的年輕人，確實有驅策其心氣，而往理想主義路上走去的力量。但是「活不成」這種語言，不屬於學術家，而屬於煽動家。這句話裡面沒有任何分析而講理的成份，而是直接訴諸感情，打動人心。或者這就是梁啟超所謂的「魔力」；不過學術不需要魔力，學術是平實的思考和理性的經驗累積。

關於〈美術與科學〉這篇文章

梁氏論學時候「筆鋒常帶感情」，僅只是文體問題，還是有其他問題；是作為國學大師的梁啟超，必須面對的事情。他有兩篇論文的題目相當專業，〈美術與科學〉與〈書法指導〉，可以作為分析的對象。

〈美術與科學〉寫於 1922 年，〈書法指導〉寫於 1927 年。梁氏於 1929 年逝世，二文當視為梁氏成熟之作，不應有方法與材料上的重大錯誤。

先看〈美術與科學〉這篇文章。

> 稍為讀過西洋史的人，都知道現代西洋文化，是從文藝復興時代演進而來。現代文化根柢在那裏，不用我說，大家當然都知道是科學，然而文藝復興主要的任務和最大的貢獻，卻是在美術。（梁啟超〈美術與科學〉）

文藝復興這個名詞，是從西文翻譯過來的。原文（英文 Renaissance）是指再生和新生；而完全沒有文藝的意思。

當初翻譯家加上文藝二字，是非常自作主張而不妥當的事情。連翻譯「信、雅、達」最基本的信都沒有做到。而這種自作主張的翻譯，對於中國自清末以來接受西方思想的態度，有不好的影響。
文藝復興的興起，是因為中世紀歐洲基督教的神權作風，過分壓制了人文活動；而使得歐洲人開始探索他們的文化根源－古希臘，希望找回人之所以為人的特質和尊嚴。結果，歐洲的文化得以再生和新生；他們找回了希臘在歷史上最大的兩種文明特質－民主與科學。梁啟超說得不錯「稍為讀過西洋史的人，都知道現代西洋文化，是從文藝復興時代演進而來」，而近代西方國家的特質便是民主與科學。這一點，梁氏不會不知道，因為所謂「德先生」與「賽先生」（democracy and science）正是在他那個時代高喊入雲的，以為是民族救亡圖存的良方妙藥。梁氏自已也說「現代文化根柢在那裏，不用我說，大家當然都知道是科學」，但是，他怎麼又說「文藝復興主要的任務和最大的貢獻，卻是在美術」呢。這種顛顛倒倒的說法姑且不論；對於文藝復興最大貢獻在美術這種論點，我們若不是善意的認為，梁氏對文藝復興這件事，因為受到中文的錯誤翻譯而誤解；就只好比較嚴格的說，他對於文藝復興這件事的事實真相，並沒有花時間去了解。

梁啟超說：

> 從表面看來，美術是情感的產物，科學是理性的產物，兩件事很像不相容。為什麼這位暖和和的阿特先生，會養出一位冷冰冰的賽因士兒子？其間因果關係，研究起來很有興味。
> （梁啟超〈美術與科學〉）

梁啟超認為，美術是科學之父；他說「這位暖和和的阿特先生（art），會養出一位冷冰冰的賽因士兒子（science）」。（括號英文為梁氏加）

該文題目為〈美術與科學〉，梁氏也在文中不斷提到美術；而美術的英文並不是「阿特先生」（art），而是「梵阿特先生」（fine art）。

這又是專業的問題。

他要研究一下科學和美術，這種父子間的因果關係：

> 美術所以能產生科學，全從「真美合一」的觀念發生出來。他們覺得真即是美，又覺得真才是美，所以求美先從求真入手。（梁啟超〈美術與科學〉）

梁氏說，這個問題「研究起來很有興味」。可能極有興味的，便是他的邏輯觀念了。梁啟超說「阿特先生」養出「賽因士兒子」，又說「美術所以能產生科學」，他的說法有無道理先擱置一邊；在邏輯上，美術是父，科學是子，這是梁氏的意見。可是他又說，因為「真美合一」的緣故，所以「求美先從求真入手」。這句話可以說是梁氏此文的結論，不過他把它放在文章前面說了。這句話的意思是，「求美」是目的，「求真」是手段；從「求真」的手段裡，可以得出「求美」的結果。那麼，到底是誰產生誰呢？照語意看來，是「求真」產生「求美」，是科學產生美術，而非他所謂的美術產生科學。

離開這些混亂部分，梁氏認定美術與科學之間的關係便是美術產生科學，並且花了篇幅來解釋他的說法。為了說明有人同時對美術與科學都有所長，他舉了達文西的例子。

> 文藝復興的太祖高皇帝雷安那德達溫奇－就是畫最有名的耶穌晚餐圖那個人。…諸君以為達溫奇光是一位美術家嗎？不，不，他還是一位大科學家。近代的生物學，是他「華路藍縷」的開闢出來，倘若生物學家有道統圖，要推他做先聖周公，達爾文不過先師孔子罷了。（梁啟超〈美術與科學〉）

這是一段無法多做辯駁的文字，因為達文西（達溫奇）不是生物學家，他是為了美術而做過解剖研究，僅僅可以說是解剖學家。生物學

（biology）與解剖學（anatomy）的建立，都早在希臘時代與亞里士多德（Aristotle）有關；與達文西的「蓽路藍縷的開闢」無關。生物學家本來即有梁氏所謂的「道統圖」，達文西和達爾文，怎麼樣也說不到一起；怎麼樣也不能類比為周公與孔子。

> 在西方，解剖學和生物學都可以遠朔至希臘時代。除去專業的研究者以外，亞里士多德（384－322BC）都是這兩門學問的代表性學者。他曾經在小亞細亞，從事生物學研究；他對於近代的生物學有很大的影響，甚至他還提出自然階梯（scala naturae）那種類似達爾文進化論的先進觀點。在解剖學上，亞里士多德很詳細的論述了動物的內臟和器官；他所使用的說明圖，被認為是最早的有記錄的解剖圖。

接下來，梁氏要正式談科學與美術之間的學理關係。他說：

> 密斯忒阿特、密斯忒賽因士，他們哥兒倆有一位共同的娘。娘什麼名字。叫做密斯士奈渣。翻成中國話，叫做「自然夫人」。問美術的關鍵在哪裡？限我只准拿一句話回答，我便毫不躊躇的答道：「觀察自然」。問科學的關鍵在哪裡？限我只准拿一句話回答，我也毫不躊躇的答道：「觀察自然」。
>
> （梁啟超〈美術與科學〉）

這裡出現一位叫做「自然夫人」的女士，又攪亂了一池春水。前面梁氏才說過「為什麼這位暖和和的阿特先生，會養出一位冷冰冰的賽因士兒子？」，可見兩位先生是父子；現在，梁氏竟然說「密斯忒阿特、密斯忒賽因士，他們哥兒倆有一位共同的娘」。因此，「阿特」又是「賽因士」的兄弟又是他的父親。這種關係很簡單，那就是「阿特」與母親亂倫，生下「賽因士」這個又是兒子又是兄弟的怪物。

梁氏在這裡，完全沒有把科學和美術做這樣曲折安排的必要，他只是寫錯了。他在花俏的寫這一段時，忘記了上一段的花俏；（或者前段稱呼「先生」，後段稱呼「密斯忒」，使他忘記了他在說同一件事情？）結果出現這樣的大錯誤。即便一位文學家，「筆鋒常帶感情」的鋪陳虛幻的故事時候，也不可能出現這種錯誤。現在，局面已經混亂了；不知道應該順著梁氏哪一條思路去理解事情：一，「阿特」是「賽因士」的爸爸－美術產生科學。二，「阿特」是「賽因士」兄弟－觀察自然產生了美術與科學。這種事情是完全沒有辦法以學術態度，或者邏輯觀念去面對的，我們只好把它放在梁氏厚厚的《飲冰室全集》中，而不去面對它。

至於「觀察自然」是不是美術與科學的關鍵，可以仔細分析一下。前面註釋中曾經說過「阿特」（art）並不是美術，而是藝術。即便將錯就錯，以梁氏的「阿特」專指美術來看；觀察自然是美術中的一小部分，而非全部。美術中觀察自然描繪自然的部份，稱為寫生。當然有的美術家終生寫生，也成為大家；不過大部分的美術家都將寫生視為鍛練技術的一部分。而技術成熟後，便要以這種技術描寫心中的各種情境與觀念；這樣藝術家的自我才得以浮現，才能成就不同的藝術風格。而科學是否以「觀察自然」為關鍵呢？正如美術一般，科學也是始於觀察自然，但是並非以觀察自然為主。以觀察自然為主要手段者，大概以醫學和生物學比較有這種傾向；其他科學多半以數學推理與實驗證明為手段，而非以觀察自然作為主要的研究方法。

因此，一般公認醫學和生物學並非屬於嚴格定義下之科學。因為它們既缺少數學推理部份，又比較少做出如科學公式般的準確實驗。所以，科學上實驗的成功與突破，應該便是世界性的突破；但是生物與醫學的突破，卻常常遭受質疑，見仁見智。達爾文（Charles Darwin）的曠世巨著《天演論》（*Origin of Species*）經過一世紀還有爭議，便是一個好例子。

梁氏主要的想法，是想以「觀察自然」來統合美術與科學。因此他解釋了觀察自然、美術、科學三者之間的關係。他說：

> 科學根本精神，全在養成觀察力。養成觀察力的法門，雖然很多，我想，沒有比美術再直捷了。因為美術家所以成功，全在觀察自然之美。怎樣才能看得出自然之美，最要緊是觀察自然之真。能觀察自然之真，不惟美術出來，連科學也出來了。所以美術可以算得科學的金鎖匙。（梁啟超〈美術與科學〉）

梁氏的論述最後說「所以美術可以算得科學的金鎖匙」，這句話可以和前面說的「美術所以能產生科學」那個結論相呼應。他將美術產生科學的原因分析如下：第一，「科學根本精神，全在養成觀察力。養成觀察力的法門，雖然很多，我想，沒有比美術再直捷了」。梁氏在這裡認為觀察力是科學的根本精神，而養成觀察力的方法，沒有強過美術者；因此，美術是訓練科學精神的最好法門。這個說法雖然是替美術說好話，但是，相信沒有科學家能夠承認這個空汎的聯想；似乎學科學要先受美術訓練一般。而美術家聽到這種說法，好像也覺得不自在而汗顏得很。第二，「因為美術家所以成功，全在觀察自然之美。怎樣才能看得出自然之美，最要緊是觀察自然之真」。美術家能夠成功，應該不是全在觀察自然；那只是整個藝術訓練的初級寫生部分。這個部分的成功，只是讓美術家模仿自然的基本技巧純熟。如果以此為成功，則只是工匠者流而已；而太忽視美術（藝術）的主觀唯心部分。而美術家的成功，正在於其主觀唯心部分能夠形成個人特色，並且這種主觀唯心的特色，還能夠獲得其他人的共鳴。至於梁氏說「看得出自然之美，最要緊是觀察自然之真」，這正是寫生素描的工夫，這種工夫是每一個美術家的基本功，是美術家必須具備的條件，而非使美術家成功的原因。梁氏對藝術的認識極為粗糙，於此可見其一斑。

由於這種通過美術訓練，可以養成科學家的論點，真的是太簡化文化活動了；梁氏這篇文章中還有一些佐證式的論述，來補強其「美術所以能產生科學」立論的單薄。他找出美術與科學的相似處，來說明二者的關係。

> 要而言之，熱心和冷腦相結合是創造第一流藝術品的主要條件，換個方面來看，豈不又是科學成立的主要條件嗎？（梁啟超〈美術與科學〉）

這句話本身沒有錯，但是這句話不能成為支持美術與科學關係的有效證據。因為所謂「熱心和冷腦」是一種太籠統的說法，它們或者是梁氏所說「創造第一流藝術品」與「科學成立」的「主要條件」；但是它們也是任何人物、任何事情成功的「主要條件」。這樣籠統的「主要條件」，不足以將科學與美術綰合在一起。他又說：

> 真正的藝術作品，最要緊的是描寫出事物的特性。…這種本領，全在同中觀異，從尋常人不會注意的地方，找出各人情感的特色。這種分析精神，不又是科學成立的主要成分嗎？（梁啟超〈美術與科學〉）

無論藝術品最要緊為「描寫出事物的特性」與「找出各人情感的特

色」是否正確，但是，美術的分析精神不能因為與科學的分析精神相同，便將美術與科學視為相關活動。因為分析精神，梁氏口中所謂的「主要成分」，除去美術與科學之外，也同時是任何人物、任何事情成功的「主要成分」。這些論證都算是白說了。又說：

> 美術家的觀察，不但以周遍精密為能事，最重要的是深刻。蘇東坡述文與可論畫竹的方法，說道：「畫竹必先得成竹於胸中，執筆熟視，乃見其所欲畫者，急起從之，振筆直遂，以追其所見，如兔起鶻落，少縱則逝矣。」這幾句話，實能說出美術的秘鑰。…這種境界，很含有神秘性，雖然可以說是在理性範圍以外，然而非用銳入的觀察法，一直透入深處，也斷斷不能得這種境界。這種銳入觀察法，也是促進科學的一種助力。（梁啟超〈美術與科學〉）

同樣的，「銳入觀察法」也如上述二例一般，完全不足以構成「美術所以能產生科學」的條件；難道政治家、經濟家、軍事家都沒不具備「銳入觀察法」嗎？深刻的觀察難道不是所有人、事成功的原因之一嗎？

在這三組非常類似的無效例證之外，梁氏對美術產生科學這件事，還有這樣說法：

> 美術的任務，自然是在表情。但表情技能的應用，須有規律的組織，令各部份互相照應。…那別部份的配置照應，當然有很嚴正的理法藏在裏頭。非有極明晰緻密的科學頭腦，恐怕畫也畫不成，看也看不到。這又是美術和科學不能分離的證據。（梁啟超〈美術與科學〉）

美術的任務，若是以美術為人類活動之一種而言，那它的社會功能太多了，「表情」怎會是美術的「任務」？若是以美術家本身而言，那美術可表現的方式也太多了，「表情」只是描寫人物時候的一項表現而已，「表情」又怎會是美術的「任務」？若是我們已經習慣，並放任梁氏「筆鋒常帶感情」的學術論文調調，那麼「美術的任務，自然是在表情」這種話，就不要再花時間討論。但是這段文字中，梁氏仍然繼續犯他無效例證的錯誤。他說「非有極明晰緻密的科學頭腦，恐怕畫也畫不成，看也看不到」，他認為美術家是有科學頭腦的人，因此，「這又是美術和科學不能分離的證據」。科學頭腦即是善於分析事物歸納事物的精細頭腦，這種頭腦不是讓「美術和科學不能分離的證據」；這種頭腦是促成文化進步、文明發展的原動力，是各行各業菁英人物的共同頭腦特徵。科學頭腦絕對不僅僅為科學家擁有，科學家只是從事了科學這個行業。而科學頭腦更不僅僅為美術家所擁有，美術家可能擁有科學頭腦，也可能完全沒有科學頭腦的成為偉大藝術家。事實上，若是我們說美術家擁有科學頭腦，是違反常識的事情；說不定讓美術家認為我們在譏諷他，而非讚美他了。

關於〈書法指導〉這篇文章

梁啟超有書法作品傳世，在名人書法的範疇內，也有相當知名度。以毛筆書寫文字，在百年前，是文人所必須掌握的一種技術。無論書信往來還是公文呈遞，毛筆字都是惟一的溝通方式。因此，在長時間的練習之下，文人基本上都有一手熟練的書法技巧。至於能否成家，是否受世人重視，則除了藝術天份之外，還要受傳統官場文化中種種的價值觀左右。中國歷史上很少有純粹的職業書法家，（或者藝術家）名留後世。因為中國根本不重視專業的藝術家，而認為那是工匠。

中國書法家自漢代開始，便為知名官員壟斷；明清後，才多少有改變。這種現象和文化價值觀、官場文化、官方壟斷高級文化、壟斷文化傳播管道等等都有關聯。

梁啟超有一篇專門談書法的文章〈書法指導〉，從字面上看，非但是專論，而且梁氏對這篇文章非常重視；並且認為可以作為一種指導書法家的準則。他應該是很認真的寫這篇文章。他說：

> 美術，世界所公認的為圖畫、雕刻、建築三種。中國於這三種之外，還一種，就是寫字。（梁啟超〈書法指導〉）

這種說法並不周延，並且把中國美術的項目簡化了。不過梁氏行文的不周延已是通例，便不再贅述。

傳統上，美術分類為繪畫、雕刻、建築是有原因的。繪畫是平面的造形藝術，雕刻是立體的造形藝術；而西方人視建築為一件大雕刻作品，只是它大至可以讓人進入其中，（或其上）與一般雕刻有別，故另立一類。因此，美術最大的分類，可以說即是平面與立體二種。我們並不好說「中國於這三種之外，還有一種，就是寫字」，因為中國還有陶瓷、玉器、銅器、編織等等太多的項目都是「這三種之外」，（但是合於平面與立體這兩大分類）。說這三種之外中國還有一項寫字藝術，便把其他美術項目忽略了。梁氏的說法是錯誤的分類法。

還是來看梁氏重視書法的原因，與他對書法的研究。他說寫字比旁的美術不同，而仍可以成為美術的原因，約有四點。第一，線的美。

> 線的美，在美術中為最高等，不靠旁物的陪襯，專靠本身的排列。（梁啟超〈書法指導〉）

梁氏說「線的美，在美術中為最高等」，雖然主觀，卻沒有什麼可批評。因為美術上對於美醜標準，本來即是主觀的問題。

> 美醜標準雖然主觀，但是一旦將之置於歷史的時空中，則可以顯現某特定時間、空間中，相對較為一致的標準。因此我曾經有，在藝術上大多數人的主觀便是客觀，這樣的說法。

但是，梁氏說線（線條）之所以高等，是因為它「不靠旁物的陪襯，專靠本身的排列」，這句話問題就大極了。在美術上，線條之所以具有審美意義，原因是線條本身即是一種形狀，一種可以欣賞的表現。線條經過「排列」，轉變成具體的形狀；而那種「排列」，便不再稱為線條，而稱為結構了。梁啟超是不是把線條的定義都沒弄清楚，而把結構當為線條了呢？答案是很肯定的，因為梁氏接著說：

> 譬如一個美人…要五官端正，身材勻稱，才算頭等腳色。假如鼻大眼小，那就是醜，五官湊在一塊，亦是醜。真正的美，在骨骼的擺布，四平八穩，到處相稱。在真美中，線最重要，西洋美術，最講究線。（梁啟超〈書法指導〉）

一點都沒有錯，梁啟超正是把美術上最基本的，線條和結構的問題沒有弄清楚。他所說的「假如鼻大眼小，那就是醜，五官湊在一塊，亦是醜。真正的美，在骨骼的擺布，四平八穩，到處相稱。」完全是比例與結構問題，完全不是線條的問題。在分不清楚線條與結構問題後，梁氏又忽然冒出一句話：「在真美中，線最重要，西洋美術，最講究線。」

梁氏說線條的重要，是為了要引出書法注重線條的這個主題。（雖然他說明線條的方式，與他舉的例子，都說明他並不是在講線條，而是講結構）但是，他雖然在替線條講好話，卻不得隨便的「旁徵博引」。他說「西洋美術，最講究線」，是要負起責任的。與梁氏說法正相反，傳統西洋美術的特點，是以為線條僅是勾勒輪廓的工具而已；在作品完成時，是要以顏色或塊面，將線條隱藏其中，而不顯露出來。從最簡單基礎的，以炭筆為之的素描如此；到最複雜深奧的，以油彩為之的油畫亦復如此。畫素描時，雖然過程中以線條創造形體，但是最後須以麵包、紙筆等工具（或者徒手）將線條塗去而混成塊面，方算完成。因此，素描作品基本上看不見線條。而正式的油畫作品，更是講究塊面與顏色，以及它們所造成的明暗、肌理、空間等等諸般效果；線條在作品完成時，要被隱藏在這些顏色與塊面下面。

> 事實上，美術離不開線條。線條是造形的基本元素，美術家都需要熟練的掌握線條。但是藝術不是講過程，而是講作品完成後的形式。中國美術以線條的變化為特色，西洋美術以顏色與塊面的處理為特色；這是非常基礎的美術史常識。

因此，梁氏又講錯了，真正重視線條，並且以重視線條為其藝術特點的不是西洋，而是中國。中國因為重視書法的原因，致使我們的繪畫中大量使用書法線條。並且對於這些書法線條的使用，以「筆墨」二字稱之。中國自宋元以來，重視書法線條的繪畫稱為「文人畫」。

除去基本知識的問題之外，就文章結構而言，梁氏不是正在談中國書法嗎？他的立論應該從中國美術重線條而講到中國書法；怎麼忽然冒出一句西洋美術最重線條呢？是他沒有這些藝術方面的基礎知識嗎？還是他又如上面不勝枚舉的例子一樣，粗心大意了呢？

梁氏繼續說。

> 寫字就是要黑白相稱，同是天地玄黃幾個字，王羲之這樣

寫，我們亦這樣寫，他寫得好，我們寫得醜，就是他的字黑白相稱，我們的字黑白不相稱。（梁啟超〈書法指導〉）

梁啟超認為，寫字好看與否，是因為「黑白相稱」。中國的書法理論與書法史研究，也有近兩千年了。梁氏這句書法之美是因為「黑白相稱」，真是如村夫村婦講的話一般；真是糟蹋了兩千年來中國書法的欣賞與品評術語。而所謂「黑白相稱」，到底是指什麼呢？梁氏的「黑白相稱」大概是從「計白當黑」那句話引申過來的。那句話是指白色（紙）與黑色（墨）的錯綜安排；把白也當成黑，把無色也當成有色；而做出黑白相映成趣的效果。那是指佈局，也就是安排或者結構；而非線條問題。所以，梁氏說王羲之的字好看，是說他的字安排得好看，而非他的線條好看。他還是在說結構而非線條。

對這種「黑白相稱」問題，梁氏還舉了一個例子。他說：「黑白相稱，如電燈照出來一樣。這種美術，以前不發達，近來才發達。這種美術最能表示線的美，而且以線為主。」對於這種「以前不發達，近來才發達」的美術，我們真是難以猜測是什麼。有可能他說的是攝影嗎？如果是黑白攝影的話，那麼「如電燈照出來一樣」應該是指的反差效果（contrast）；那更是塊面性的結構之美，而不是梁氏說的「最能表示線的美，而且以線為主」。

梁氏從頭到尾說線條，而實際上是說結構這件事情。在他舉了越多的例子後，便越發的清楚了。關於這一段「線的美」問題，梁氏最後舉了一個例子，來說明他對「線的美」的重視。

做椅子如此，寫字如此，全屋子的擺設，亦是如此。譬如這間屋子，本來是宴會廳，現在暫時做演講室，桌子椅子橫七豎八的湊在一起，就不美了，因為線的排列不好。（梁啟超

〈書法指導〉）

非常明顯的，梁氏所講的做椅子、擺設屋子，都是指安排、擺設、排列等等結構問題，而非線條問題。

兩千年來，中國書法對於線條（梁氏所謂的「線」）有自己的說法。中國從來沒有說線這個字；對於今日稱呼的線條，古代有「用筆」、「筆法」、「筆劃」、「筆道」、「筆」等專用術語。

線條這個名稱並非中國原有，應該是從日文翻譯而來；日文又從某西國語文翻譯而來。

而由線條而組成的結構，古代稱為「結構」、「間架」、「佈局」、「安排」等等。這些術語沿用千年以上，表示這些術語所代表的觀念－線條與結構，在書法的理論與實務上，早就為人發現與應用，並奉為研習書法的指導圭臬。梁氏著〈書法指導〉，竟然連二者都弄錯。並且完全不曉得兩千年來的任何書法術語與書法觀念；這樣的研究，除了對藝術的輕視之外，說不出什麼理由。我們並沒有對梁啟超過於嚴格。

除了「線的美」之外，梁氏說書法可以成為美術的第二個原因，是因為書法有「光的美」。

> 寫得好的字，墨光浮在紙上，看去很有精神。…這種美，就叫著光的美。（梁啟超〈書法指導〉）

梁氏這種說法，只能說是外行人看熱鬧，而不能與之辯論。因為，墨光是否浮在紙上，是墨的好壞問題，不是藝術家的技術或者藝術問題。這種「光的美」也能成為書法是一種美術的理由嗎？梁氏說書法為美術有四個理由，沒想到其中之一，竟是花錢買點好墨汁！

對於「光的美」，梁氏繼續說：

> 西洋的畫，亦講究光，很帶一點神秘性。對於看畫，我自己是外行，實在不容易分出好壞，但是也曾被人指點過，說某幅有光，某幅無光，我自己雖不大懂，總覺得號稱有光那幾幅，真是光彩動人。（梁啟超〈書法指導〉）

這段文字也不做分析了；不過，他既然在這裡自稱「對於看畫，我自己是外行」，既「不容易分出好壞」又「我自己雖不大懂」，倒是對梁氏寫作與研究的態度，可以有一個側面的了解。

接下來，梁氏對書法的指導，出現了較為可以讓人摸著頭緒的論述。他說「力的美」問題：

> 寫字完全仗筆力，筆力的有無，斷定字的好壞。（梁啟超〈書法指導〉）

梁氏在這裡終於說出了一個書法的術語－筆力。然而，所謂筆力，即是「用筆」、「筆法」、「筆劃」、「筆道」、「筆」；也即是線條，或者他說的「線」。所以這裡出現「筆力」，又一次證明他說書法「成為美術的原因」之第一項－「線的美」，指的不是線，而是結構。否則不是說了兩次線條問題？第一項與第三項不是重複了嗎？

至於他說「寫字完全仗筆力，筆力的有無，斷定字的好壞」，前面又說「線」（結構）最重要，字寫得好是因為能「黑白相稱」；到底哪一項最重要？哪一項才是梁氏「完全」、「斷定」這種武斷語氣下的書法品評標準？我們實在沒有辦法（或者精力），再與「筆鋒常帶感情」的國學大師梁啟超計較了。

然而，無論梁啟超的「書法指導」多麼荒腔走板，他的第四項說法，是正確的。他說書法要有「個性的表現」。

> 美術一種要素是在發揮個性，而發揮個性最真確的，莫如寫字。如果說能夠表現個性，就是最高美術，那麼各種美術，以寫字為最高。（梁啟超〈書法指導〉）

梁氏的這種說法，是一種事實。最直接作個性表現的美術項目，在東方是書法；（Chinese calligraphy）在二十世紀以後的西方，是抽象畫。（abstract painting）

結語

梁啟超是一個有才氣的人，否則他不能對那樣多的事情都發生興趣，並且享有那樣大名。然而，梁氏對於藝術的探討，有許多錯誤；本文僅只是選擇其中兩篇關於美術的文章分析之。這種不能理解的錯誤，為什麼發生在國學大師梁啟超身上呢？抱持著愛護中國文化遺產的心理，我們還是願意說他粗心大意了。他忘記了學術就是學術；學術只有對象的不同，沒有方法和態度的不同。他用一種非常不學術的態度，面對一種他認為沒有什麼了不起的學術。當然，這也不完全是梁啟超的問題，因為大多數人都認為藝術是怡情養性的事，是可有可無的事，是什麼人都可以談論批評的事；而忽略藝術是一種行業，一種專業；一種人類精神文明的代表性專業。

西方對藝術的態度比中國嚴肅，這與西方重視專業藝術家而中國輕視專業藝術家有關。（傳統上，中國稱他們為工匠）與藝術有關的美學（aesthetics）和美術史（history of art）都是西方建立的藝術哲學與藝術史學系統。今日，西方重要大學皆設有美術史（history of art）及科學史（history of science）之博、碩士學位，便是著眼藝術與科學是人類物質與精神的代表性文明。中國人的這種觀念，還有待建立。

梁啟超大意了，以他這樣的身分地位，他為藝術研究做了一種錯誤的示範。這是我們原諒梁啟超的一種說法。

梁啟超的學術，很有可研究的地方。是否因為他「學而優則仕」與「仕而優則學」的特殊經歷，造成他對於學術、學術界的特殊看法，是值得深思的一個問題。

王大智作品集　青演堂叢稿五輯隨筆　9900A05

演員的面具

作　　者　王大智
校　　對　王大智

發 行 人　陳滿銘
總 經 理　梁錦興
總 編 輯　陳滿銘
副總編輯　張晏瑞
編 輯 所　萬卷樓圖書股份有限公司
排　　版　林曉敏
印　　刷　維中科技有限公司
封面攝影　王美祈
封面設計　宋榶雁

發　　行　萬卷樓圖書股份有限公司
臺北市羅斯福路二段 41 號 6 樓之 3
電話 (02)23216565
傳真 (02)23218698
電郵 SERVICE@WANJUAN.COM.TW
香港經銷　香港聯合書刊物流有限公司
電話 (852)21502100
傳真 (852)23560735

ISBN 978-986-478-315-1
2019 年 11 月初版
定價：新臺幣 280 元

如何購買本書：
1. 劃撥購書，請透過以下郵政劃撥帳號：
帳號：15624015
戶名：萬卷樓圖書股份有限公司
2. 轉帳購書，請透過以下帳戶
合作金庫銀行　古亭分行
戶名：萬卷樓圖書股份有限公司
帳號：0877717092596
3. 網路購書，請透過萬卷樓網站
網址　WWW.WANJUAN.COM.TW
大量購書，請直接聯繫我們，將有專人為您服務。客服：(02)23216565　分機 610

如有缺頁、破損或裝訂錯誤，請寄回更換
版權所有．翻印必究
Copyright©2019 by WanJuanLou Books CO., Ltd.
All Right Reserved　　**Printed in Taiwan**

國家圖書館出版品預行編目資料

演員的面具 / 王大智作. -- 初版. -- 臺北市：萬卷樓, 2019.11
面；　公分. -- (王大智作品集；9900A05)
(青演堂叢稿. 五輯)
ISBN 978-986-478-315-1(平裝)
1.言論集
078　　108016074